新宿
急行
6715

はじめに

京王帝都電鉄（以下京王という）6000系は、京王線系統初の大型20m車である。5000系と同じアイボリーホワイトに臙脂《えんじ》の帯をまとってはいたものの、20m車体に両開き4扉、正面貫通路付きで地下鉄乗入れA-A基準に適合した、京王にとっては初めて尽くしの車両であった。

1972（昭和47）年早春、車両メーカーから陸送されてきた6000系を初めて見たときは「大阪市交通局（現・大阪メトロ）の50系や80系のように正面窓が小窓の、ヨーロッパスタイルの車両だな」、「京王線に新風を吹き込むぞ、という意気込みを感じるな」などという印象はあったが、まさかこの車両が1990（平成2）年度まで増備が続き、総勢304両の大所帯になるとは思っていなかった。

事業用車として活躍した期間を含めると、40年以上在籍した6000系。第二次増備車にあたる1973（昭和48）年製造の6007（初代）～6012Fから、制御器が抵抗から界磁チョッパへ、またクーラー搭載形式が早速変更になるなど、その後

も増備のたびに進化を繰り返した結果、細部に多彩なバリエーションを持つ、趣味的に楽しい車両形式であった。

また、京王線系統全線と都営新宿線にも運用、固定編成組成も最終的には２・３・４・５・６・８両と多彩にわたり、中には５扉車や、事業用車に改造された車両もあるなど、それらを組み合わせた車両運用の変遷も、思い出せば実に楽しい車両であった。

その長きにわたる増備過程や改造など、すべてを記録していないことが悔やまれるが、その間京王線の特急から各駅停車、都営地下鉄乗入れの役割も担うなど、文字通り「京王線の主力」として活躍した6000系を、ここでは自分の思い出と併せて紹介したい。

※文中のFは編成、Fの前の番号は新宿方電動車の車両番号を意味することとして以下記述（一部例外あり）。挿入図も同様で、左側新宿方を示す。

休日の行楽特急運用時などに用いられたヘッドマーク（「花菖蒲まつり」・「迎光」・「高尾」・「陣馬」）をそれぞれ４本の6000系に掲出しての撮影会風景。
1983.8.28　若葉台検車区　P：鈴木　洋

デビュー前の試運転を行う6001Fクハ6751ほか6両編成。竣工時は正面赤帯の端部がカーブを描いていた。
1972.4.29　桜上水
P：上野哲司

1．黎明期(1971～1977年)

■6000系登場前

1970(昭和45)年、京王ファンの間で「京王線に20m 4扉の新車が入るらしい」との噂話を聞いた。京王線と都営地下鉄10号線(新宿線)との乗入れ計画が具体化してきた時期だ。

その噂では、東急電鉄8000系ステンレスカーのシステムを取り入れた車両だと聞いていたのだが、そんな折、当時の車両課の方から「京王線20m車両予定重量」なる表をいただくことができた(表1)。それによると、車体は「セミステン」と書かれており、Tc-M1-M2-M1-M2-Tc＋Mc1-M2-M1-M2cの10両編成組成

【表1】京王線20m車両予定重量(セミステン)　　1970(昭45).10.31作成・1971(昭46).1.26修正

			Tc1	M1	M2	M1'	M2'(T)	Tc2	Mc1	M2	M1	Mc2	記事
台車重量			9.0	17.6	17.6	17.6	17.6	9.0	16.0	16.0	16.0	16.0	
車体重量	鋼体(セミステンレス)		8.5	9.0	9.3	9.0	9.3	8.5	9.0	9.3	9.0	9.3	
	客室内装		5.0	5.0	5.0	5.0	5.0	5.0	5.0	5.0	5.0	5.0	
	乗務員室機器		0.5	–	–	–	–	0.5	0.5	–	–	0.5	
	屋根上機器	ユニットクーラー	1.3	1.3	1.3	1.3	1.3	1.3	1.3	1.3	1.3	1.3	
		パンタグラフ	–	0.3	0.3	0.3	0.3	–	0.3	0.3	0.3	0.3	
	床下機器	制御装置	–	2.9	0.44	2.9	0.44	–	2.7	0.44	2.7	0.44	界磁チョッパのときHIRADを含む
		ブレーキ装置	0.41	0.38	0.38	0.38	0.38	0.41	0.41	0.38	0.38	0.41	
		CP装置	–	–	1.21	–	1.21	–	–	1.21	–	1.21	
		MG装置	–	–	2.7	–	2.7	–	–	2.7	–	–	
		低圧機器箱	0.09	0.09	0.09	0.09	0.09	0.09	0.09	0.09	0.09	0.09	
		高圧ヒューズ及び断路器	0.04	0.03	0.03	0.03	0.06	0.04	0.07	0.03	0.03	0.09	
		蓄電池箱	–	–	0.37	–	0.37	–	–	0.37	–	–	
		インバーター	0.1	–	–	–	–	0.1	0.1	–	–	0.1	
		無線装置本体	0.1	–	–	–	–	0.1	0.1	–	–	0.1	
		ATS装置	0.18	–	–	–	–	0.18	0.18	–	–	0.18	
		ATO装置	0.5	–	–	–	–	0.5	-	–	–	0.5	
		(床下機器小計)	(1.42)	(3.4)	(5.22)	(3.4)	(5.25)	(1.42)	(3.65)	(5.22)	(3.2)	(3.12)	
	配線その他		1.88	2.7	2.08	2.7	2.15	1.88	3.35	2.08	2.7	2.18	
	車体重量 計		18.0	21.7	23.2	21.7	23.3	18.6	23.1	23.2	21.5	21.7	
車両重量			27.6	39.3	40.8	39.3	40.9(34.0)	27.6	39.1	39.2	37.5	37.7	

と、それぞれの重量・搭載機器が書かれているではないか。制御装置は「界磁チョッパのとき」「全チョッパ＋２」「抵抗カム＋１」と記載もあり、同時期に設計中であった都営地下鉄10号線試作車(後の10-010F)に倣っていろいろ検討していたのであろう。

京王はいち早く井の頭線で3000系を導入しており、その導入についてアレルギーは比較的低いはず。実際メーカーとの交渉は行っていたようだが、結局鋼製アイボリー塗装車として登場したのは、当時京王線は井の頭線とは違い調布以西は農道が多く、踏切事故が多かったから、と後に担当者から教えてもらった。もし6000系が銀色車体で出ていたら、果たしてどんな姿だったのか。想像してみるのも面白いものである。

■6000系登場

待望の新車6000系は、1972(昭和47)年正月明けから入線を始めた。入線するとびっくり、ワンハンドルマスコンなどの新機軸はあるものの、なんと抵抗制御車ではないか。同時期に登場したお隣の小田急9000系は、同じ地下鉄乗入れ車で鋼製車体こそ一緒とはいうものの、界磁チョッパ・オールM車でしかもスタイリッシュ。京王ファンとしてはよくお隣と比べられて、肩身の狭い思いをしたものである。

回着整備と乗務員の習熟試運転に時間が掛かったのは初めての大型車ゆえに手間取ったからとか。３月頃には「6000系入線記念乗車券」発行の企画もあったようだがそれには間に合わず、井の頭線転用車の1700・1710形の廃車と入れ違う形で営業を開始したのは1972年５月下旬であった。

営業開始までの間に２回に分けて入線していたが、入線第一陣の6001～03Fの正面塗分けが、帯は5000系のようにカーブし、幌座なし、種別幕はすべて黒字に種別名、その種別幕と方向幕との間が白く塗装されるなど、その後のスタンダードとは少し異なるいで立ちであった。なおこの塗装は営業運転が始まった頃には改められている。

さて、1971(昭和46)年度増備車6001～6006F(3M3T)６連６本(図１・編成表１)は、早速朝夕の通勤急行や通勤快速、日中の急行・快速に充当。当時の主力だった5000系より車体が大きく、直線的なスタイルは乗客のイメージを変えたようで、「おぉ新車だ」「あ、6000系だ!」などという声が聞かれ、「注目されているなぁ」という思いを持ったものだ。

【図1】1971年度増備車

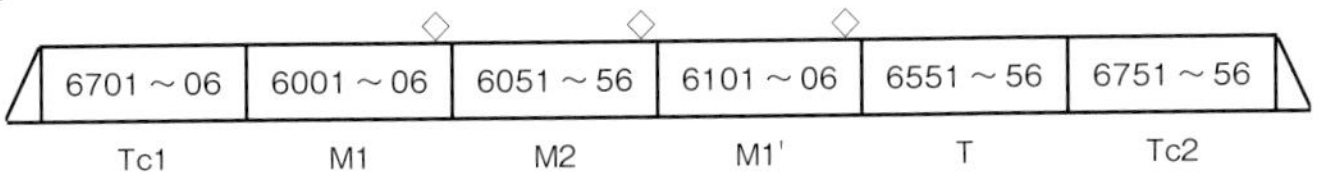

※M1'は単M(375Vモーター永久直列)を意味する。

■京王6000系基本編成表①　・6001～6006F登場時(1972.5.23認可)　1971(昭46).12.15

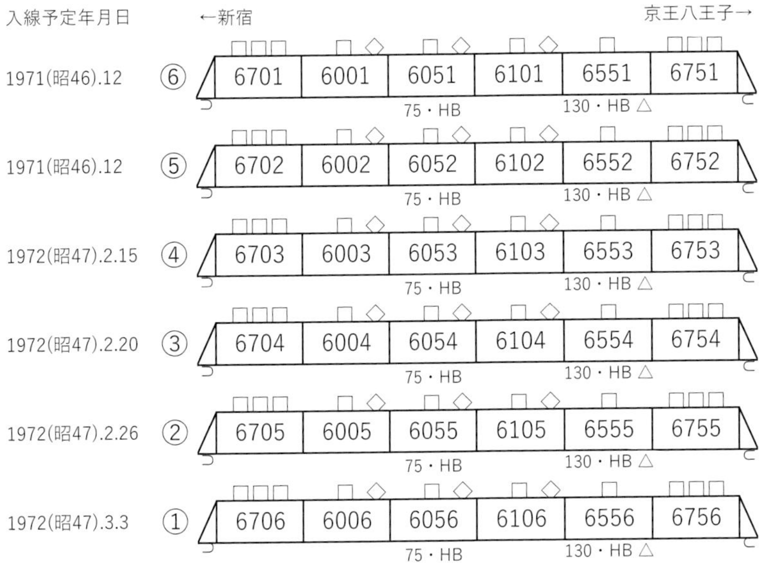

□□□：分散式冷房(東芝)
□：集中式冷房(日立)
75：電動発電機 75kVA 60Hz
130：電動発電機 130kVA 60Hz
HB：電動空気圧縮機(HB-2000)
△：100V蓄電池
⊃⊂：住友式密連

M	Tc	T	合計
18	12	6	36

1973年に増備された6007F以降は先頭車のクーラーキセが5基となり、編成も8両固定とされた。
1979.11.23　笹塚
P：上野哲司

■早速の仕様変更と８両化改造

続いての増備車が申請されたのは1973(昭和48)年のこと(図２)。これまた登場して驚いたのは、先頭車の分散クーラーが４基から５基に増えていたこと、中間車の集中クーラーがかまぼこ型になっていたこと、そして何より制御器が回生制動付き界磁チョッパになっていたことである。もっとも、先頭車クーラー５基のうち中間１基のキセにはクーラーが搭載されていなかったが、これは1986(昭和61)年に増設された。

この編成には早速変化が訪れる。８両編成化である。1974(昭和49)年12月にMMユニット×６本12両が入線、試運転したもののホーム延伸が一部の駅で間に合わず、実際に使用開始されたのは1975(昭和50)年10月。それまでの１年弱、東高幡基地の片隅で肩身狭そうに留置されていたのをよく覚えている。京王線はもともと路面電車からスタートしたこともあり、輸送力増強・長編成化に対する苦労は並大抵ではなかったが、それを完結させた車両が6000系だったとも言える。

なおこの８連化に際し、当時のピット都合により中間車の連結順序が大きく変わっており、編成を並べた場合に一次車と番号が揃わなくなったのも興味深い変化であった(図３・編成表２)。

【図2】1973年度増備車

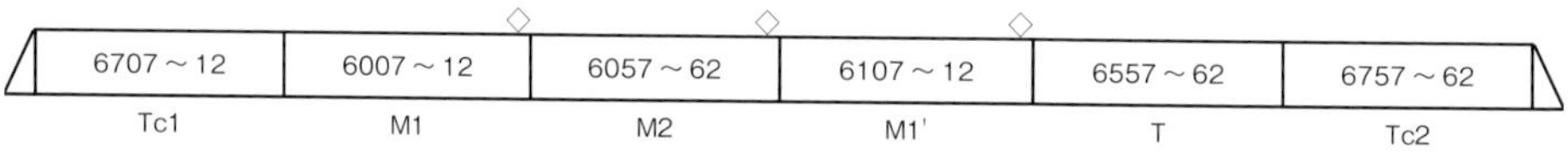

【図3】1974年8両編成増結時組成

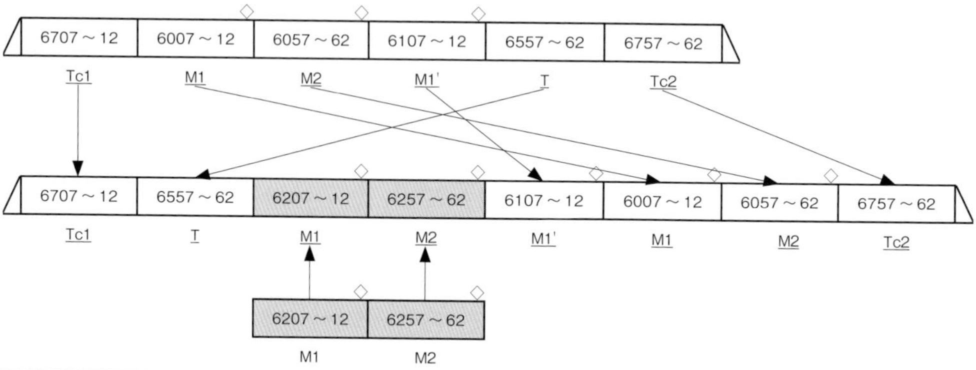

■京王6000系基本編成表②

・6007～6009F 第二次増備車登場
・6010～6012F 第三次増備車登場
・6007～6012F の８連化

1975(昭50) .2.14

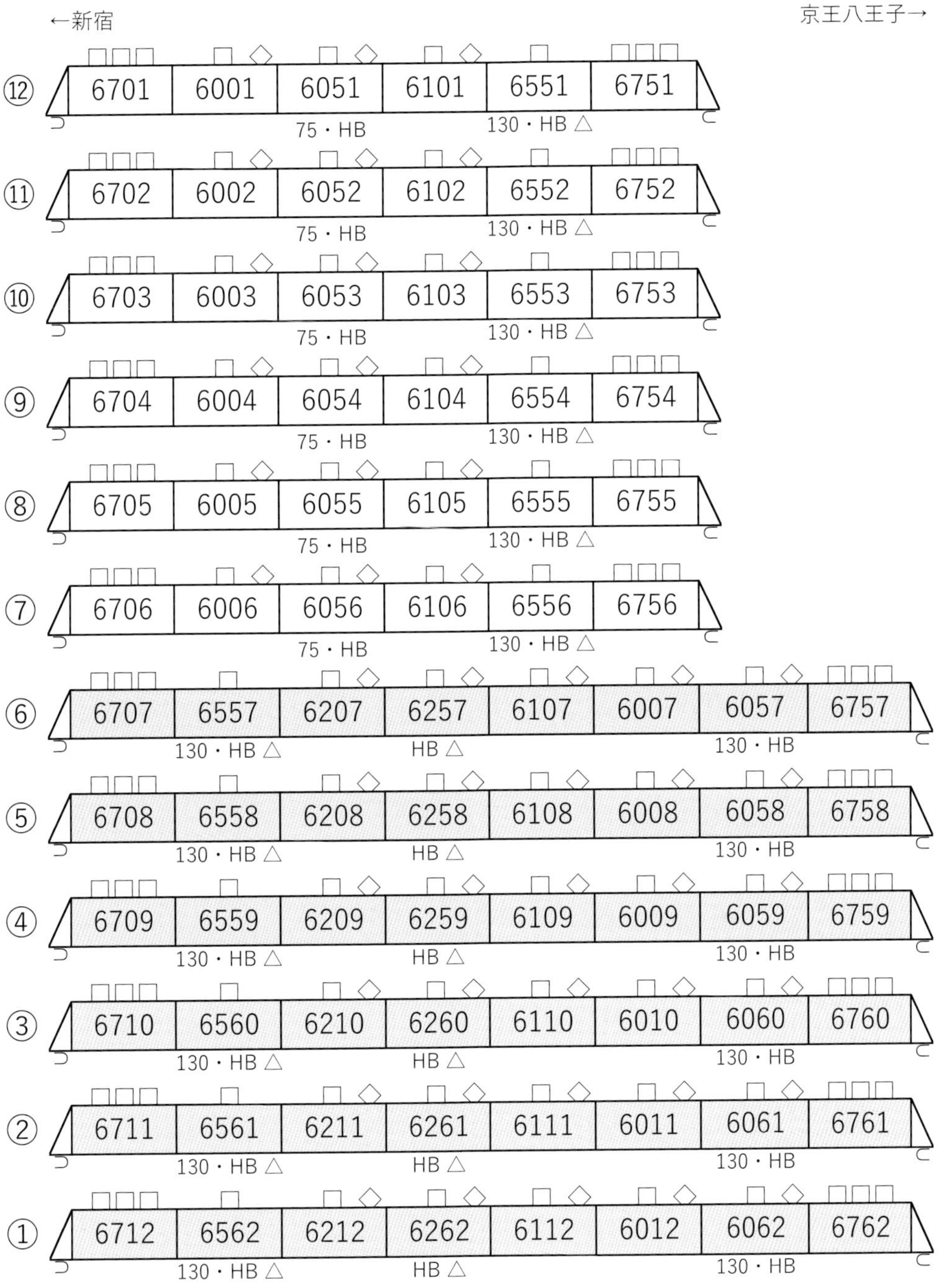

（網掛け）：編成表上初出の車両（新製車）

M	Tc	T	合計
48	24	12	84

□□□：分散式冷房(東芝)
□　：集中式冷房(日立)
△　：100V蓄電池

75：電動発電機 75kVA 60Hz
130：電動発電機 130kVA 60Hz

HB：電動空気圧縮機(HB-2000)
⊃⊂：HSCD密連

■5＋3分割編成登場

二次車が8両編成化された当時は、固定編成のみゆえ、高幡不動で特急京王八王子・高尾山口系統の分割併合を行っていた休日は引き続き5000系7両編成（4両＋3両）が使用されていた。その置換え用に抜擢されたのが、一次車の6両編成である。6両のサハ（6551～6556）を抜き5両編成に、抜かれたサハをM1（6401～6406）化するため京王重機整備の工場で改造、クハ6800（6801～6806）とM2cデハ6450（6451～6456）を新造し、3両編成を組成した（図4・編成表3）。

ちなみに、今では京王5000系や3000系を地方私鉄向きに譲渡改造を行ったことで知られる京王重機整備北野工場だが、ここでの鉄道車両改造はこの車両たちが第一号である。

この改造は1976（昭和51）年に行われたが、それに先立ち抵抗制御車と界磁チョッパ車の混結試運転が行われたほか、改造中編成を有効活用するため、その一時期京王では珍しい番号不揃いの編成が存在し、パンタを下げたデハ6400がデハ6100の隣に連結される姿など、なかなか見ることのできない光景にびっくりしたものである（図5）。

かくして6000系はすべて8両編成となり、1977（昭和52）年には新造の5＋3編成6013F（その後二代目の6007Fに改番）を加え、休日の特急運用を開始。同時に8両固定編成6014F・6015Fも増備し、データイムの定期特急・急行の多くが6000系化された（編成表4）。

【図4】1971年度増備車8両編成化

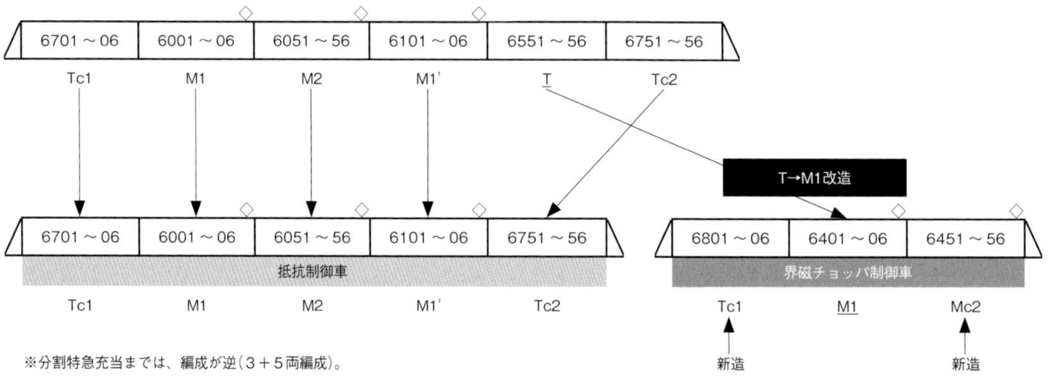

【図5】制御方式混成試運転・改造時暫定編成

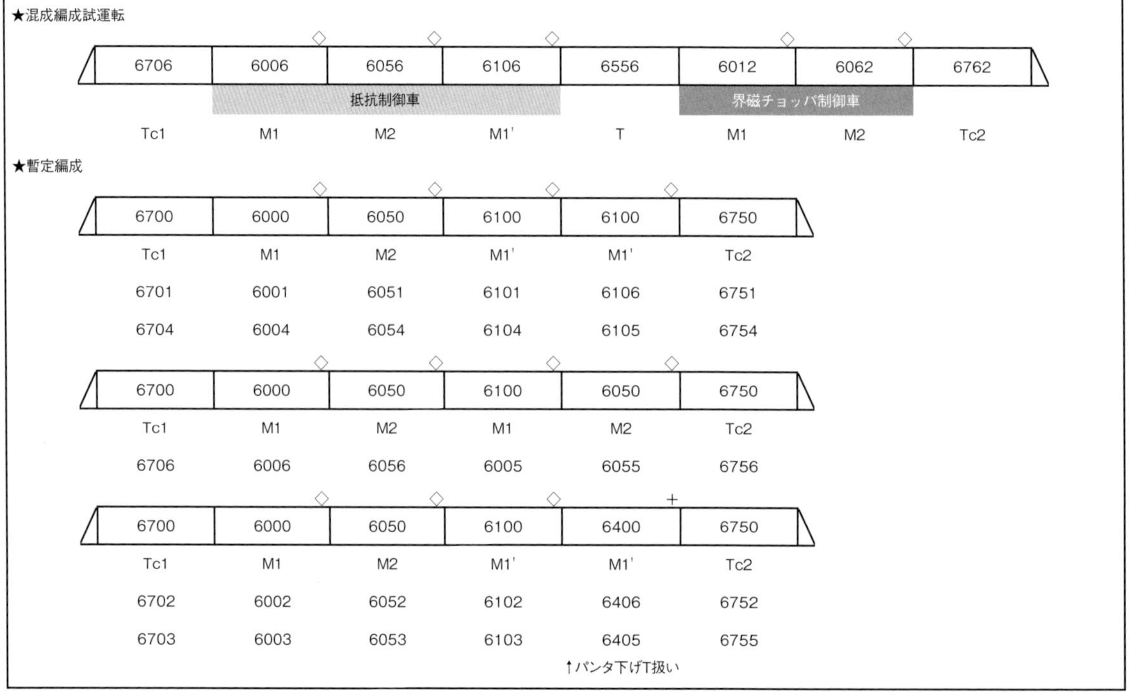

■京王6000系基本編成表③

・3連6401～6406F登場、6001～6006F５連化
・以上３連＋５連で８連に

1976(昭51).12.31予定

←新宿　　　　京王八王子→

編成	1	2	3	4	5	6	7	8
⑫	6801 HB △	6401	6451 75	6701 ★HB	6001	6051 130・HB △	6101	6751 7A
⑪	6802 HB △	6402	6452 75	6702 ★HB	6002	6052 130・HB △	6102	6752 7A
⑩	6803 HB △	6403	6453 75	6703 HB	6003	6053 130・HB △	6103	6753 7A
⑨	6804 HB △	6404	6454 75	6704 HB	6004	6054 130・HB △	6104	6754 7A
⑧	6805 HB △	6405	6455 75	6705 HB	6005	6055 130・HB △	6105	6755 7A
⑦	6806 HB △	6406	6456 75	6706 HB	6006	6056 130・HB △	6106	6756 7A
⑥	6707	6557 130・HB △	6207	6257 HB △	6107	6007	6057 130・HB	6757
⑤	6708	6558 130・HB △	6208	6258 HB △	6108	6008	6058 130・HB	6758
④	6709	6559 130・HB △	6209	6259 HB △	6109	6009	6059 130・HB	6759
③	6710	6560 130・HB △	6210	6260 HB △	6110	6010	6060 130・HB	6760
②	6711	6561 130・HB △	6211	6261 HB △	6111	6011	6061 130・HB	6761
①	6712	6562 130・HB △	6212	6262 HB △	6112	6012	6062 130・HB	6762

□□□：分散式冷房(東芝)
□　：集中式冷房(日立)
★　：軌条塗油器
△　：100V蓄電池

7A：電動発電機 7kVA 60Hz
75：電動発電機 75kVA 60Hz
130：電動発電機 130kVA 60Hz
HB：電動空気圧縮機(HB-2000)

⊃⊂：HSCD密連

M	Tc	T	合計
60	30	6	96

■京王6000系基本編成表④

・6013～6015F増備時

1977（昭52）.12.1

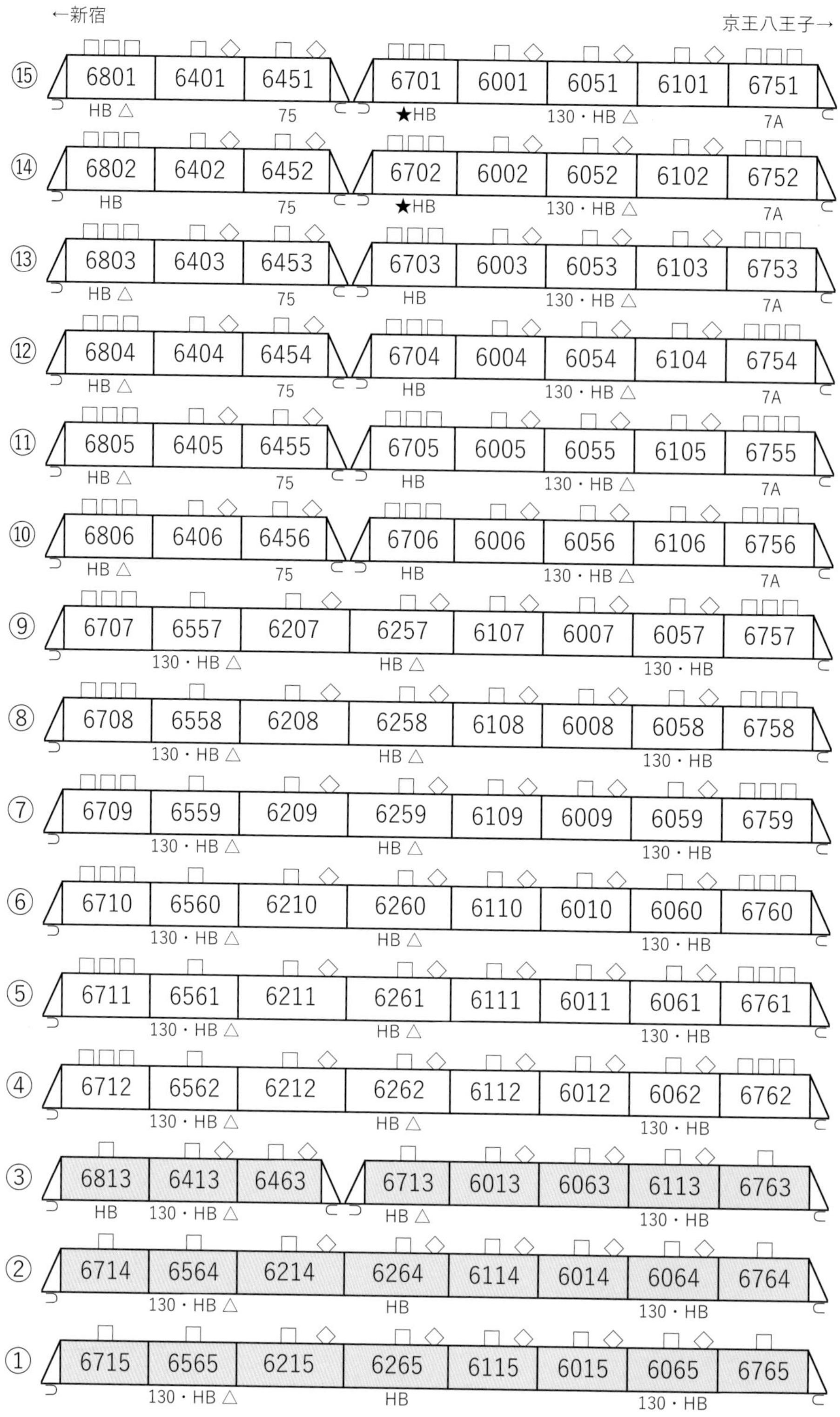

□□□：分散式冷房（東芝）
□　：集中式冷房（日立）
7A：電動発電機 7kVA 60Hz

75：電動発電機 75kVA 60Hz
130：電動発電機 130kVA 60Hz
HB：電動空気圧縮機（HB-2000）

★：軌条塗油器
△：100V蓄電池
⊃⊂：HSCD密連

M	Tc	T	合計
75	37	8	120

column1　パンタグラフの数

6000系は中間車のすべてが電装可能な構造で登場しており、パンタ台も設置されている。1971(昭和46) 年に登場したサハ6556を見てびっくりしたのは、サハなのにパンタグラフが付けられた形で登場したのだ。これは1ヶ月ほどで撤去されたのだが、その後登場した2両編成のクハ6850にも取り付けられたこともあり、10両編成の場合、最大7基のパンタグラフが付いていた。離線対策とのことであったが、前パンの姿も含め、その姿はなかなか壮観であった。

入線直後の6006F。クハ6756の次位、サハ6556には当初パンタグラフが設けられていた。
1972.7　桜上水　P：鈴木　洋

初台駅を発車し地上線に顔を出す下り快速電車6003Fクハ6753ほか。現在、この区間は笹塚駅手前まで地下線となっている。
1972.5.25　初台─幡ヶ谷　P：山口和夫

白黒が反転した正面ナンバーが設置された6040Fの両先頭車(クハ6740・6790)。後に他車と同様のものに交換された。
1992.5　調布　P：石井秀典

2. 躍進期(1978～1990年)

■6000系30番代 都営地下鉄乗入れ対応車登場

1980(昭和55)年３月16日、京王線と都営新宿線との相互乗入れ開始にあたり、岩本町までの乗入れに必要な所要編成本数11本を6000系の改造及び新製で賄うこととした(表２・編成表５～６)。改造は1973(昭和48)年入線の6007～6009F、1977(昭和52)年入線の6014・6015F、1978(昭和53)年入線の6016～6018Fの計８本。主な改造内容は、先頭車への都営新宿線用ATC・無線アンテナの搭載、サハ6550の電装(T→M2、ただし6016～6018Fは当初からM2として入線しており除外)など編成中３両の改造のみなので、1978(昭和53)年から始まった乗入れ改造では、残りの５両を活用すべくクハ6719・6769、サハ6569の３両を新製のうえ、改造中残された５両に組み込んで使用した(図６)。

サハはM2の電装準備車であり改造は容易かと思われたが、我々として興味を持ったのが、改番はどうなるかであった。当時の二次車３編成のサハ6550連結位置はクハ6700の隣新宿方２両目に位置し、次に6200番代のMMユニット、次に本来の相棒6100、その次に6000番代MMユニットと、改造と同時期に入線した編成とは連結位置が異なっていた。果たしてどうなっていくのか、と仲間とあの手この手を使って検証し、中間車の改番が単純に元番号＋ではなく、入れ違っていたのを突き止めたのもいい思い出である。

さて、その改造は1編成あたり2ヶ月で完工と同時に未改造の中間車も30番代に改番。改造が終了した1979(昭和54)年には完全新製車6040・6041Fと同時に、中間車デハ6039・6089・6139・6239・6289を新造、サハ6569をデハ6189に改造のうえ6039Fを組成。ここに11本の乗入れ編成が揃ったことになる(編成表６)。また、6040Fの前面ナンバープレートには、黒字と白字が逆転したものが取付けられた。聞いたところでは、地下区間での視認性向上を試してとのことであったが、その後増備された車両に変更はなく、その後のリニューアル時に新書体のプレートに変えられてしまったのは大変残念であった。

余談であるが、改造開始当時京王の担当者に、なぜ30番代にしたのか尋ねたところ、当時の京王本社が新宿三丁目でありそのそばを通るから３つながりで…と聞いたのだが、それが事実だったかどうか今は尋ねる由もない。

【表2】1980年３月16日都営新宿線乗り入れ開始時の編成

		改造前	改造後 (新製)	備考
改造	1973年度車	6007F	6031F	先頭車クーラーは分散型
		6008F	6032F	〃
		6009F	6033F	〃
	1977年度車	6014F	6034F	先頭車クーラーは以後集中型
		6015F	6035F	
	1978年度車	6016F	6036F	新製時から6M2Tで登場
		6017F	6037F	〃
		6018F	6038F	〃
		6019F	6039F*	*Tc・T・Tcの3両のみ
新製	1979年度	—	6039F*	*M1・M2・M1・M1・M2の5両
		—	6040F	
		—	6041F	

【図6】1978～79年　6000系30番代編成が揃うまで

1. 6031～33F改造・改番(連結位置変更)

6707～09	6557～59	6207～09	6257～59	6107～09	6007～09	6057～59	6757～59
乗入れ機器追設	M2改造			未改造			乗入れ機器追設
Tc1	T	M1	M2	M1'	M1	M2	Tc2

6731～33	6031～33	6081～83	6131～33	6181～83	6231～33	6281～83	6781～83
Tc1	M1	M2	M1	M2	M1	M2	Tc2

	編成番号
改番	6007F→6031F
	6008F→6032F
	6009F→6033F

2. 6034～35F改造・改番

6714・15	6014・15	6064・65	6114・15	6564・65	6214・15	6264・65	6764・65
乗入れ機器追設		未改造		M2改造		未改造	乗入れ機器追設
Tc1	M1	M2	M1'	T	M1	M2	Tc2

6734・35	6034・35	6084・85	6134・35	6184・85	6234・35	6284・85	6784・85
Tc1	M1	M2	M1	M2	M1	M2	Tc2

	編成番号
改番	6014F→6034F
	6015F→6035F

3. 6036～38F改造・改番

6716～18	6016～18	6066～68	6116～18	6566～68	6216～18	6266～68	6766～68
乗入れ機器追設			未改造				乗入れ機器追設
Tc1	M1	M2	M1	M2	M1	M2	Tc2

6736～38	6036～38	6086～88	6136～38	6186～88	6236～38	6286～88	6786～88
Tc1	M1	M2	M1	M2	M1	M2	Tc2

	編成番号
改番	6016F→6036F
	6017F→6037F
	6018F→6038F

※上記改造中未改造の車両は、1978年新製の6719・6569・6769を組み込み運用。
※6186～6188のパンタグラフは登場時のみ、すぐに撤去。

4-1. 6031～33F改造中の組成

6719	6569	6207～09	6257～59	6107～09	6007～09	6057～59	6769
Tc1	T	M1	M2	M1'	M1	M2	Tc2

4-2. 6034・35F改造中の組成

6719	6014・15	6064・65	6114・15	6569	6214・15	6264・65	6769
Tc1	M1	M2	M1'	T	M1	M2	Tc2

4-3. 6036～38F改造中の組成

6719	6016～18	6066～68	6116～18	6166～68	6216～18	6266～68	6769
Tc1	M1	M2	M1'	M2	M1	M2	Tc2

6569 (T) 改造 → 6189 (M2)

4-4. 6039F改造・組成

6719							6769
乗入れ機器追設・改番		新製		改造		新製	乗入れ機器追設・改番
Tc1							Tc2

6739	6039	6089	6139	6189	6239	6289	6789
Tc1	M1	M2	M1'	M2	M1	M2	Tc2

5. 6040～41F新製

6740・41	6040・41	6090・91	6140・41	6190・91	6240・41	6290・91	6790・91
Tc1	M1	M2	M1	M2	M1	M2	Tc2

■京王6000系基本編成表⑤

・6016～6018F増備時
・6030番代最初の6031F登場(6007Fの改造)

1979(昭54).1

←新宿　　　　京王八王子→

⑱	6701 ★HB	6001	6051 130・HB △	6101	6751 7A	6801 HB △	6401	6451 75
⑰	6702 ★HB	6002	6052 130・HB △	6102	6752 7A	6802 HB △	6402	6452 75
⑯	6703 HB	6003	6053 130・HB △	6103	6753 7A	6803 HB △	6403	6453 75
⑮	6704 HB	6004	6054 130・HB △	6104	6754 7A	6804 HB △	6404	6454 75
⑭	6705 HB	6005	6055 130・HB △	6105	6755 7A	6805 HB △	6405	6455 75
⑬	6706 HB	6006	6056 130・HB △	6106	6756 7A	6806 HB △	6406	6456 75
⑫	6713 HB	6013	6063 130・HB △	6113	6763 7A	6813 HB △	6413	6463 130
⑪	6731	6031 130・HB △	6081	6131 HB △	6181	6231	6281 130・HB	6781
⑩	6708	6558 130・HB △	6208	6258 HB	6108	6008	6058 130・HB	6758
⑨	6709	6559 130・HB △	6209	6259 HB	6109	6009	6059 130・HB	6759
⑧	6710	6560 130・HB △	6210	6260 HB	6110	6010	6060 130・HB	6760
⑦	6711	6561 130・HB △	6211	6261 HB	6111	6011	6061 130・HB	6761
⑥	6712	6562 130・HB △	6212	6262 HB	6112	6012	6062 130・HB	6762
⑤	6714	6014	6064 130・HB △	6114	6564 130・HB △	6214	6264 HB	6764
④	6715	6015	6065 130・HB △	6115	6565 130・HB △	6215	6265 HB	6765
③	6716	6016	6066 130・HB △	6116	6166 130・HB △	6216	6266 HB	6766
②	6717	6017	6067 130・HB △	6117	6167 130・HB △	6217	6267 HB	6767
①	6718	6018	6068 130・HB △	6118	6168 130・HB △	6218	6268 HB	6768
	6719		6569		6769			

□□□：分散式冷房車
□　：集中式冷房車
★：軌条塗油器
△：100V蓄電池
7A：電動発電機 7kVA 60Hz
75：電動発電機 75kVA 60Hz
130：電動発電機 130kVA 60Hz
HB：電動空気圧縮機(HB-2000)
⊃⊂：HSCD密連

M	Tc	T	合計
93	45	9	147

■京王6000系基本編成表⑥

・1980年３月都営線乗り入れのため6030番代が11本揃う。

1980(昭55) .1

←新宿　　京王八王子→

編成	1	2	3	4	5	6	7	8
㉑	6701	6001	6051	6101	6751	6801	6401	6451
	★HB		130・HB△		7A	HB△		75
⑳	6702	6002	6052	6102	6752	6802	6402	6452
	★HB		130・HB△		7A	HB△		75
⑲	6703	6003	6053	6103	6753	6803	6403	6453
	HB		130・HB△		7A	HB△		75
⑱	6704	6004	6054	6104	6754	6804	6404	6454
	HB		130・HB△		7A	HB△		75
⑰	6705	6005	6055	6105	6755	6805	6405	6455
	HB		130・HB△		7A	HB△		75
⑯	6706	6006	6056	6106	6756	6806	6406	6456
	HB		130・HB△		7A	HB△		75
⑮	6707	6007	6057	6107	6757	6807	6407	6457
	HB		130・HB△		130	HB△		130
⑭	6710	6560	6210	6260	6110	6010	6060	6760
		130・HB△		HB△			130・HB	
⑬	6711	6561	6211	6261	6111	6011	6061	6761
		130・HB△		HB△			130・HB	
⑫	6712	6562	6212	6262	6112	6012	6062	6762
		130・HB△		HB△			130・HB	
⑪	6731	6031	6081	6131	6181	6231	6281	6781
			130・HB△		130・HB△		HB	
⑩	6732	6032	6082	6132	6182	6232	6282	6782
			130・HB△		130・HB△		HB	
⑨	6733	6033	6083	6133	6183	6233	6283	6783
			130・HB△		130・HB△		HB	
⑧	6734	6034	6084	6134	6184	6234	6284	6784
			130・HB△		130・HB△		HB	
⑦	6735	6035	6085	6135	6185	6235	6285	6785
			130・HB△		130・HB△		HB	
⑥	6736	6036	6086	6136	6186	6236	6286	6786
			130・HB△		130・HB△		HB	
⑤	6737	6037	6087	6137	6187	6237	6287	6787
			130・HB△		130・HB△		HB	
④	6738	6038	6088	6138	6188	6238	6288	6788
			130・HB△		130・HB△		HB	
③	6739	6039	6089	6139	6189	6239	6289	6789
			130・HB△		130・HB△		HB	
②	6740	6040	6090	6140	6190	6240	6290	6790
			130・HB△		130・HB△		HB	
①	6741	6041	6091	6141	6191	6241	6291	6791
			130・HB△		130・HB△		HB	

□□□：分散式冷房車
□　：集中式冷房車
★：軌条塗油器
△：100V蓄電池
7A：電動発電機 7kVA 60Hz
75：電動発電機 75kVA 60Hz
130：電動発電機 130kVA 60Hz
HB：電動空気圧縮機(HB-2000)
⊃⊂：HSCD密連
┓┏：誘導無線送信アンテナ
⊥：ATC装置

M	Tc	T	合計
116	49	3	168

地下鉄乗入れ編成の増結用として1981年度に新製された6000系30番代２両編成(6882+6432・6885+6435)。クハにもパンタグラフが設けられた。京王鉄道友の会が開催した撮影会にて。
1983.8.28　若葉台検車区　P：上野哲司

■6000系２両編成登場で一部列車10両編成化

京王初の20m車10両編成化に向け、既存の８両編成の増結用として1981(昭和56)年に6431～6435Fの５本が入線した(編成表７)。1M1Tの２両編成であるが、京王多摩センター方クハにもパンタが付いたのにはビックリ。ATC車上装置は床下に配置するためMcには取り付けられず、京王多摩センター側クハだけが都営新宿線内で先頭に立つこととなった。余談だが、京王線は新宿方から８・７～と号車を付しているが、増結の９・10号車は多摩センター側に付いたため、１号車(クハ6750)の隣が10号車(デハ6400)で、相棒のクハ6850に付いた前パンともども、当時はなんとなく違和感を持ったものである。

その後京王線新宿駅の改良が終わった1982(昭和57)年秋、6410～6412Fの2両編成3本を新造(編成表８)、朝ラッシュの上り通勤急行、通勤快速３本を高幡不動～京王線新宿間を10両編成で運転を開始した。そしてその後10両編成はダイヤ改正のたびに区間・本数を拡大、京王八王子駅が地下化され10両編

【図7】6000系2両編成増備車

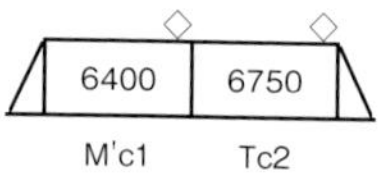

車号		新製年	備考
6431 ｜ 6435	6881 ｜ 6885	1981年度	都営新宿線乗り入れ用
6410 ｜ 6412	6860 ｜ 6862	1982年度	本線系統用
6436	6886	1983年度	本線系統・都営新宿線乗り入れ共用予備編成
6413 ｜ 6416	6863 ｜ 6866	1984年度	本線系統用
6417 ｜ 6419	6867 ｜ 6869	1986年度	本線系統用
6420	6870	1988年度	本線系統用

地下鉄乗入れ用30番代のほか、地上線用にも増結用２両編成が新製され、新宿方に連結され使用された。　2001.9.6　八幡山　P：村松　功

成が入線可能になった1989(平成元)年に6420Fが登場するまで増備が続けられた(図７・編成表10)。これにより、6000系10両編成組成は８両固定編成だけでは足りなくなるので、1986(昭和61)年度から５＋３両分割編成の新宿方に2両編成を増結した10両編成も登場している。

【図8】1981年～ 8両固定編成増備

10番代

6700	6000	6050	6100	6550	6200	6250	6750
Tc1	M1	M2	M1'	M2	M1	M2	Tc2

車号								新製年	備考
6716	6016	6066	6116	6566	6216	6266	6766	1981年度	2代目番号
6717	6017	6067	6117	6567	6217	6267	6767		
6718	6018	6068	6118	6568	6218	6268	6768	1983年度	一部2代目番号
6719	6019	6069	6119	6569	6219	6269	6769		

30番代

6700	6000	6050	6100	6150	6200	6250	6750
Tc1	M1	M2	M1	M2	M1	M2	Tc2

車号								新製年	備考
6742	6042	6092	6142	6192	6242	6292	6792	1987年度	
6743	6043	6093	6143	6193	6243	6293	6793	1988年度	
6744	6044	6094	6144	6194	6244	6294	6794	1989年度	

■京王6000系基本編成表⑦

・6431～6435F（2連）増備
・6713～6715F（8連）増備

←新宿　　京王八王子→

①	6701 (★HB)	6001	6051 (130・HB△)	6101	6751 (7A)	6801 (HB△)	6401	6451 (75)
②	6702 (★HB)	6002	6052 (130・HB△)	6102	6752 (7A)	6802 (HB△)	6402	6452 (75)
③	6703 (HB)	6003	6053 (130・HB△)	6103	6753 (7A)	6803 (HB△)	6403	6453 (75)
④	6704 (HB)	6004	6054 (130・HB△)	6104	6754 (7A)	6804 (HB△)	6404	6454 (75)
⑤	6705 (HB)	6005	6055 (130・HB△)	6105	6755 (7A)	6805 (HB△)	6405	6455 (75)
⑥	6706 (HB)	6006	6056 (130・HB△)	6106	6756 (7A)	6806 (HB△)	6406	6456 (75)
⑦	6707 (HB)	6007	6057 (130・HB△)	6107	6757 (130)	6807 (HB△)	6407	6457 (130)
⑧	6710	6560 (130・HB△)	6210	6260 (HB△)	6110	6010	6060 (130・HB)	6760
⑨	6711	6561 (130・HB△)	6211	6261 (HB△)	6111	6011	6061 (130・HB)	6761
⑩	6712	6562 (130・HB△)	6212	6262 (HB△)	6112	6012	6062 (130・HB)	6762
⑪	6713	6013	6063 (130・HB△)	6113	6563 (130・HB△)	6213	6263 (HB)	6763
⑫	6714	6014	6064 (130・HB△)	6114	6564 (130・HB△)	6214	6264 (HB)	6764
⑬	6715	6015	6065 (130・HB△)	6115	6565 (130・HB△)	6215	6265 (HB)	6765

□□□：分散式冷房車
□：集中式冷房車
★：軌条塗油器

7A：電動発電機 7kVA 60Hz
75：電動発電機 75kVA 60Hz
130：電動発電機 130kVA 60Hz
HB：電動空気圧縮機（HB-2000）
C1000：電動空気圧縮機（C-1000）

△：100V蓄電池
コ⊂：HSCD密連
┓┏：誘導無線送信アンテナ
⊥：ATC

←新宿　　　　　　　　　　　　　　　　　　　　　京王八王子→

⑭	6731 ⊥★	6031	6081 130・HB △	6131	6181 130・HB △	6231	6281 HB	6781 ⊥
⑮	6732 ⊥	6032	6082 130・HB △	6132	6182 130・HB △	6232	6282 HB	6782 ⊥
⑯	6733 ⊥	6033	6083 130・HB △	6133	6183 130・HB △	6233	6283 HB	6783 ⊥
⑰	6734 ⊥	6034	6084 130・HB △	6134	6184 130・HB △	6234	6284 HB	6784 ⊥
⑱	6735 ⊥	6035	6085 130・HB △	6135	6185 130・HB △	6235	6285 HB	6785 ⊥
⑲	6736 ⊥	6036	6086 130・HB △	6136	6186 130・HB △	6236	6286 HB	6786 ⊥
⑳	6737 ⊥	6037	6087 130・HB △	6137	6187 130・HB △	6237	6287 HB	6787 ⊥
㉑	6738 ⊥	6038	6088 130・HB △	6138	6188 130・HB △	6238	6288 HB	6788 ⊥
㉒	6739 ⊥	6039	6089 130・HB △	6139	6189 130・HB △	6239	6289 HB	6789 ⊥
㉓	6740 ⊥	6040	6090 130・HB △	6140	6190 130・HB △	6240	6290 HB	6790 ⊥
㉔	6741 ⊥	6041	6091 130・HB △	6141	6191 130・HB △	6241	6291 HB	6791 ⊥

6431 C1000	6881 △ 130 ⊥
6432 C1000	6882 △ 130 ⊥
6433 C1000	6883 △ 130 ⊥
6434 C1000	6884 △ 130 ⊥
6435 C1000	6885 △ 130 ⊥

M	Tc	T	合計
131	55	6	192

※6431～除く

■京王6000系基本編成表⑧

・10連運転開始、増結用6431～6435F・6410～6412Fも10連化に使用

←新宿　　　　京王八王子→

編成	1	2	3	4	5	6	7	8	9	10
①	6410	6860	6710	6010	6060	6110	6560	6210	6260	6760
	C1000	△ 130			130・HB △		130・HB △		HB	
②	6411	6861	6711	6011	6061	6111	6561	6211	6261	6761
	C1000	△ 130			130・HB △		130・HB △		HB	
③	6412	6862	6712	6012	6062	6112	6562	6212	6262	6762
	C1000	△ 130			130・HB △		130・HB △		HB	
④	6731	6031	6081	6131	6181	6231	6281	6781	6431	6881
	⊥★		130・HB △		130・HB △		HB	⊥	C1000	△ 130 ⊥
⑤	6732	6032	6082	6132	6182	6232	6282	6782	6432	6882
	⊥		130・HB		130・HB △		HB	⊥	C1000	△ 130 ⊥
⑥	6733	6033	6083	6133	6183	6233	6283	6783	6433	6883
	⊥		130・HB △		130・HB △		HB	⊥	C1000	△ 130 ⊥
⑦	6734	6034	6084	6134	6184	6234	6284	6784	6434	6884
	⊥		130・HB △		130・HB △		HB	⊥	C1000	△ 130 ⊥
⑧	6735	6035	6085	6135	6185	6235	6285	6785	6435	6885
	⊥		130・HB △		130・HB △		HB	⊥	C1000	△ 130 ⊥
⑨	6701	6001	6051	6101	6751	6801	6401	6451		
	★HB		130・HB △		7A	HB △		75		
⑩	6702	6002	6052	6102	6752	6802	6402	6452		
	★HB		130・HB △		7A	HB △		75		
⑪	6703	6003	6053	6103	6753	6803	6403	6453		
	HB		130・HB △		7A	HB △		75		
⑫	6704	6004	6054	6104	6754	6804	6404	6454		
	HB		130・HB △		7A	HB △		75		
⑬	6705	6005	6055	6105	6755	6805	6405	6455		
	HB		130・HB △		7A	HB △		75		
⑭	6706	6006	6056	6106	6756	6806	6406	6456		
	HB		130・HB △		7A	HB △		75		
⑮	6707	6007	6057	6107	6757	6807	6407	6457		
	HB		130・HB △		130	HB △		130		

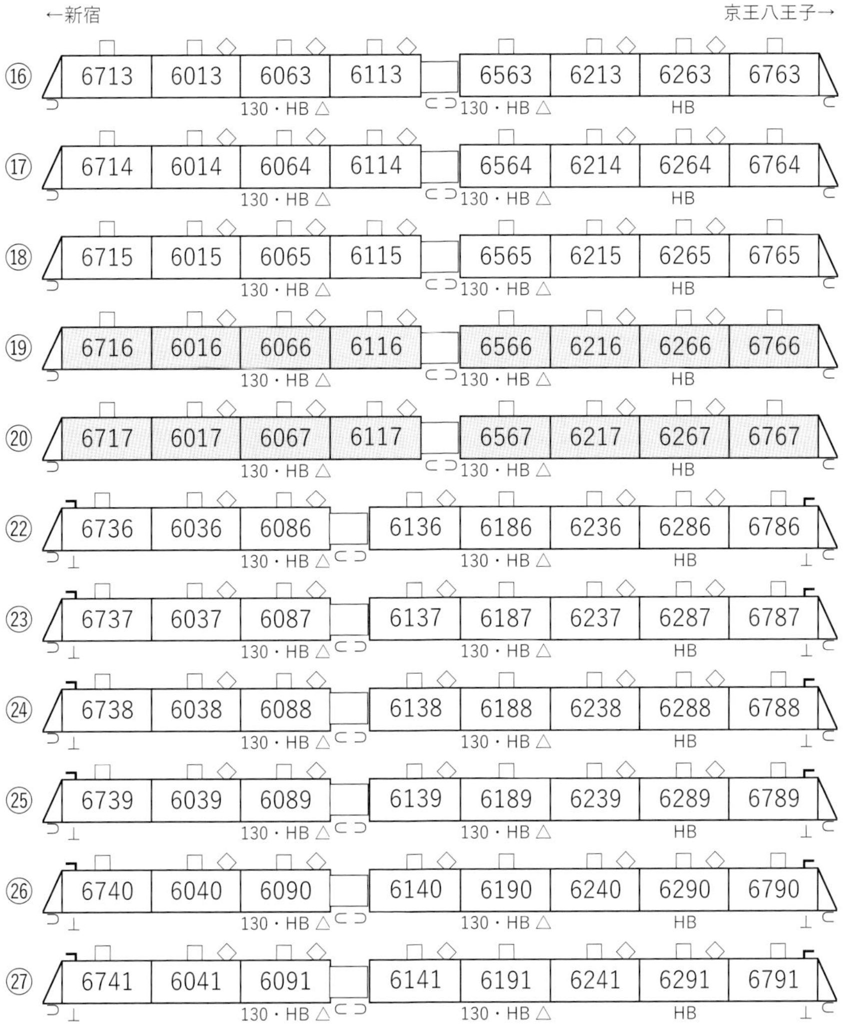

□□□：分散式冷房車
□：集中式冷房車
★：軌条塗油器

7A：電動発電機 7kVA 60Hz
75：電動発電機 75kVA 60Hz
130：電動発電機 130kVA 60Hz
HB：電動空気圧縮機(HB-2000)
C1000：電動空気圧縮機(C-1000)

△：100V蓄電池
⊃⊂：HSCD密連
┐┌：誘導無線送信アンテナ
⊥：ATC

Mc	M	Tc	T	合計
15	134	67	8	224

■京王6000系基本編成表⑨

・増結用２両編成(6431 ～ 6436F・6410 ～ 6416F)26両揃う

←新宿　　　　　　　　　　　　　　　　　　　　　京王八王子→

①	6701 (★HB)	6001	6051 (130・HB △)	6101	6751 (7A)		6801 (HB △)	6401	6451 (75)
②	6702 (★HB)	6002	6052 (130・HB △)	6102	6752 (7A)		6802 (HB △)	6402	6452 (75)
③	6703 (HB)	6003	6053 (130・HB △)	6103	6753 (7A)		6803 (HB △)	6403	6453 (75)
④	6704 (HB)	6004	6054 (130・HB △)	6104	6754 (7A)		6804 (HB △)	6404	6454 (75)
⑤	6705 (HB)	6005	6055 (130・HB △)	6105	6755 (7A)		6805 (HB △)	6405	6455 (75)
⑥	6706 (HB)	6006	6056 (130・HB △)	6106	6756 (7A)		6806 (HB △)	6406	6456 (75)
⑦	6707 (HB)	6007	6057 (130・HB △)	6107	6757 (130)		6807 (HB △)	6407	6457 (130)
⑧	6710	6010	6060 (130・HB △)	6110		6560 (130・HB △)	6210	6260 (HB)	6760
⑨	6711	6011	6061 (130・HB △)	6111		6561 (130・HB △)	6211	6261 (HB)	6761
⑩	6712	6012	6062 (130・HB △)	6112		6562 (130・HB △)	6212	6262 (HB)	6762
⑪	6713	6013	6063 (130・HB △)	6113		6563 (130・HB △)	6213	6263 (HB)	6763
⑫	6714	6014	6064 (130・HB △)	6114		6564 (130・HB △)	6214	6264 (HB)	6764
⑬	6715	6015	6065 (130・HB △)	6115		6565 (130・HB △)	6215	6265 (HB)	6765
⑭	6716	6016	6066 (130・HB △)	6116		6566 (130・HB △)	6216	6266 (HB)	6766
⑮	6717	6017	6067 (130・HB △)	6117		6567 (130・HB △)	6217	6267 (HB)	6767
⑯	6718	6018	6068 (130・HB △)	6118		6568 (130・HB △)	6218	6268 (HB)	6768
⑰	6719	6019	6069 (130・HB △)	6119		6569 (130・HB △)	6219	6269 (HB)	6769

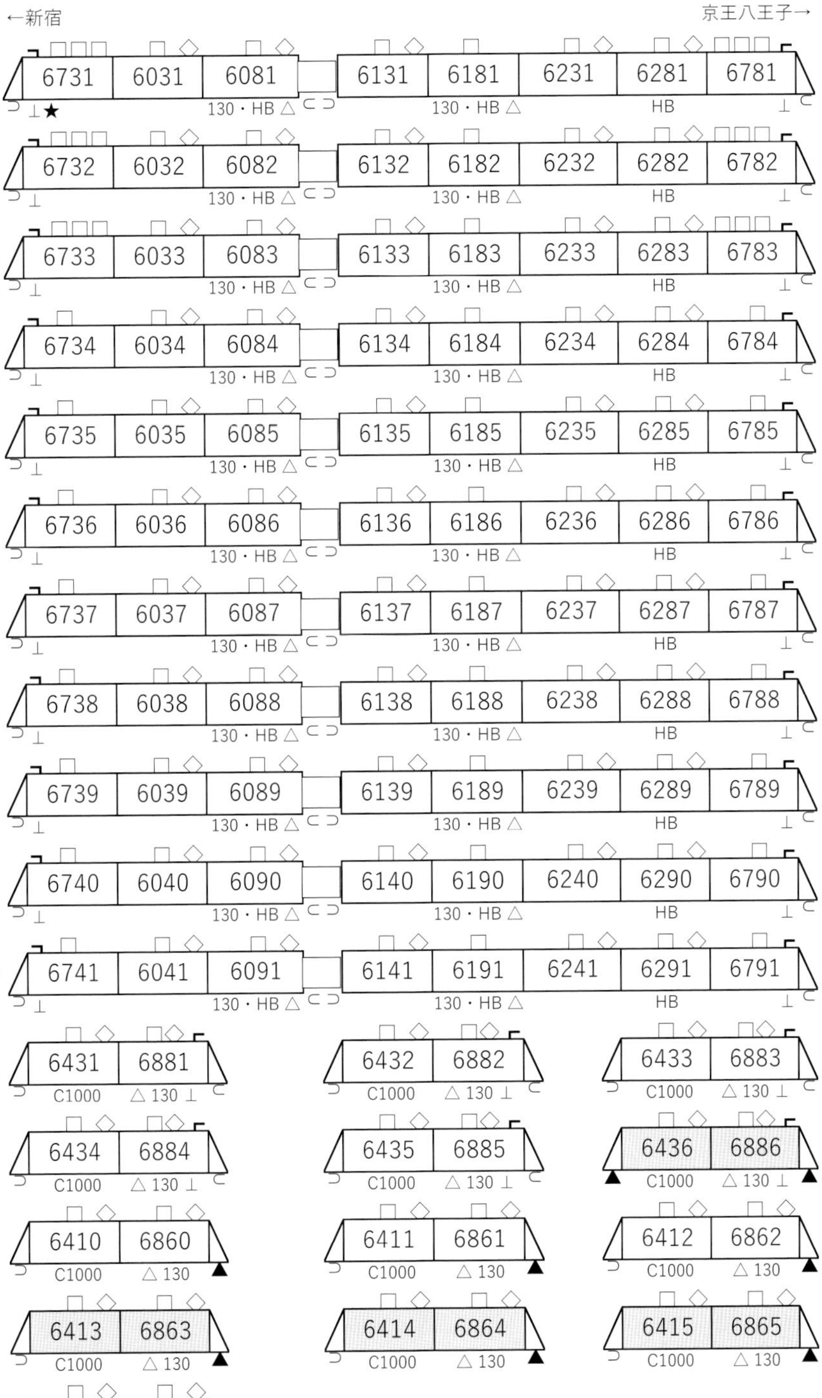

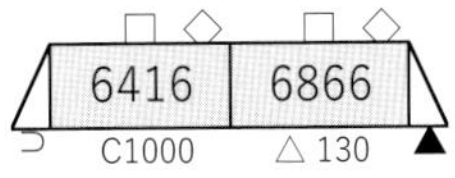

Mc	M	Tc	T	合計
20	144	76	10	250

□□□：分散式冷房車
□：集中式冷房車
★：軌条塗油器
△：100V蓄電池

▲：自動連解装置＋密連
7A：電動発電機 7kVA 60Hz
75：電動発電機 75kVA 60Hz
130：電動発電機 130kVA 60Hz
HB：電動空気圧縮機(HB-2000)

C1000：電動空気圧縮機(C-1000)
⊃⊂：HSCD密連
┐┌：誘導無線送信アンテナ
⊥：ATC装置

高尾線北野～高尾山口間は6000系登場の５年前、1967(昭和42) 年10月１日の開通。6000系５両編成特急新宿行が南浅川に沿って走る。
1975.4　高尾―高尾山口　P：鈴木　洋

京王鉄道友の会少年団が製作した「京王線開通70周年」のヘッドマークを誇らしげに掲出する6011Fクハ6761ほか8両編成。
1983.6.5　桜ヶ丘　P：山口和夫

■さらに続く増備で「優等列車は6000系」に

都営新宿線乗入れ開始により、6000系30番代がその運用に入ったため、本線系統の優等列車が5000系7両編成に戻るケースが見られるようになった。しかしながら18m車7両編成では輸送力不足は否めず、5000系を組み替えて8両編成を組成して対処することにしたのだが、以後はそれを置き換える形で6000系は地上型(10番代)が増備されていった。それにより1983(昭和58)年の6019F(二代目)増備で、原則特急・急行・通勤快速・通勤急行・快速は6000系化されたのだが、同年度新形式7000系が登場したこともあり、これで6000系増備も打ち止め、と思っていた。しかしながらその予想は当たらず、その後都営新宿線乗入れ区間延伸や予備車確保を目的とした8両固定新造編成3本が増備される(図8)。

この頃すでに7000系20番代というマイナーチェンジ車も8両編成で登場しており、なぜ6000系なのか疑問であったが、当時7000系は「各駅停車のサービス改善」を謳っていたことも関係しているのかもしれない。新製時期が異なる日本車両製造発の甲種輸送では、7000系20番代と6000系が混結される光景を見ることができた。

5扉車デハ6050形6071(車番確認)の側面。
1992.5　高幡不動　P：石井秀典

5扉車クハ6750形6771(車番確認)の側面。
1992.5　高幡不動　P：石井秀典

column2　編成間(前面)幌

京王線の前面貫通路は、分割運用が長かった割にあまり使用実績がない。5000系は２＋４＋２組成という、２ヶ所以上の非貫通組成となる時くらいであった。6000系もそれに倣っていたようだが、京王新線開業時には、当時のA-A基準を満たすべく５＋３分割編成に幌が取付けられた。この編成は休日運用時に分割特急に充当されるため、高幡不動以西では幌付きの前面を見ることができ、意外と似合うもんだなぁ、などと思ったものだ。その後、都営新宿線乗入れ開始による京王新線運用終了と同時に幌は撤去されたが、その後都営新宿線乗入れ用10両編成や、２＋５＋３編成組成時にはその姿を見ることができた。最後は固定編成化されたので、都営新宿線の運用で分割併合時の幌の取付け・切離しが見られなくなってしまったのが残念である。

地下鉄新宿線乗入れ車の増結用２両編成は、８両編成と連結される側の新宿方に貫通幌が設けられている。写真は6435Fデハ6435。
1983.8.28　若葉台　P：上野哲司

■6000系５扉車登場

さらに驚いたのが、1990(平成２）年度車として登場した6000系５扉車(6021～6024F）である(図９・編成表10)。朝ラッシュ時の明大前駅停車時分短縮が目的とされ、従来6000系一次車を組み入れていた２＋５＋３両編成のうち5両編成を置き換える形で運用された。当時JRでは山手線で６扉、営団地下鉄03系では18m車５扉、小田急電鉄では４扉ではあるもののドア幅を広げた1000系など、ラッシュ対策に躍起になっていた時期。多扉はもちろんだが、京王線では初めての戸袋窓なし、Rが付いた小さい側窓など、ずいぶん印象が違う車両であると感じたものだ。

このように、一部の期待と試験的要素をもって入線したものの、整列乗車ができない、座席数が少ないなど利用客からの苦情もあり、いつしか２＋５＋３編成は解除されてしまった。その後の動きは後述するが、最後まで異端車として扱われる運命となったのは大変残念であった。

【図９】1990年度増備(5扉車)と連結イメージ

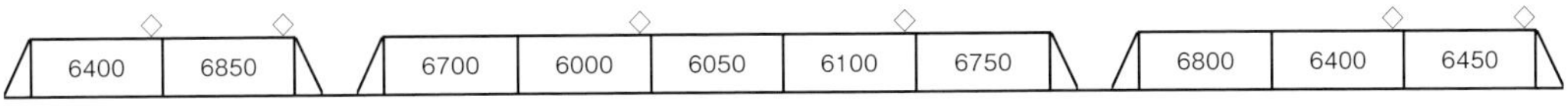

←新宿

Tc1	M1	M2	M1'	Tc2
6721	6021	6071	6121	6771
6722	6022	6072	6122	6772
6723	6023	6073	6123	6773
6724	6024	6074	6124	6774

←明大前集中混雑区域→

■京王6000系基本編成表⑩

・6000系最大両数の時期(304両)
・5扉車(6021～6024F)登場

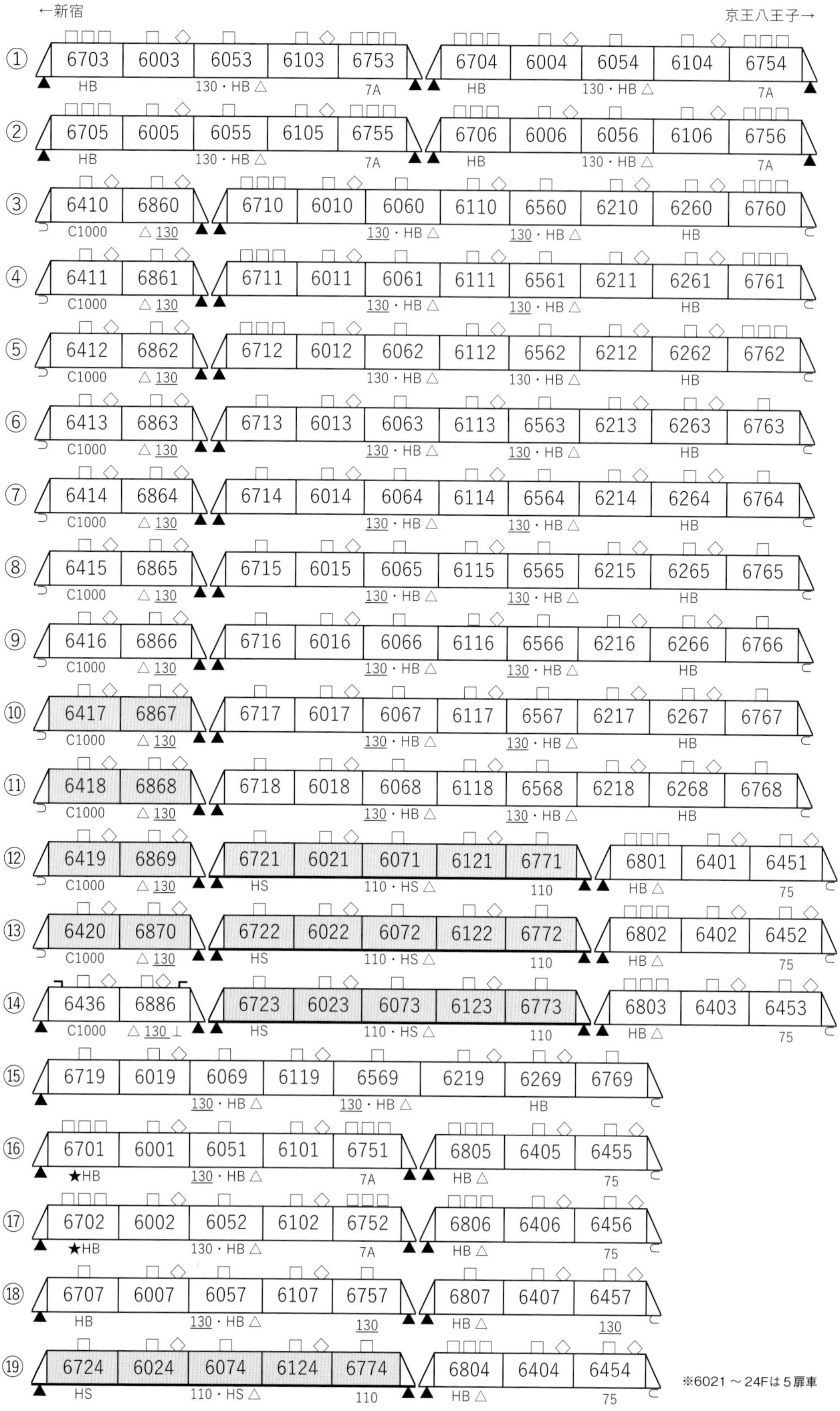

1991(平3).3

←新宿　乗入れ車　京王八王子→

編成										
❶	6731 ⊥★	6031	6081 130・HB △	6131	6181 130・HB △	6231	6281 HB	6781 ⊥	6431 C1000	6881 △ 130 ⊥
❷	6732 ⊥	6032	6082 130・HB △	6132	6182 130・HB △	6232	6282 HB	6782 ⊥	6432 C1000	6882 △ 130 ⊥
❸	6733 ⊥	6033	6083 130・HB △	6133	6183 130・HB △	6233	6283 HB	6783 ⊥	6433 C1000	6883 △ 130 ⊥
❹	6734 ⊥	6034	6084 130・HB △	6134	6184 130・HB △	6234	6284 HB	6784 ⊥	6434 C1000	6884 △ 130 ⊥
❺	6735 ⊥	6035	6085 130・HB △	6135	6185 130・HB △	6235	6285 HB	6785 ⊥	6435 C1000	6885 △ 130 ⊥
❻	6736 ⊥	6036	6086 130・HB △	6136	6186 130・HB △	6236	6286 HB	6786 ⊥		
❼	6737 ⊥	6037	6087 130・HB △	6137	6187 130・HB △	6237	6287 HB	6787 ⊥		
❽	6738 ⊥	6038	6088 130・HB △	6138	6188 130・HB △	6238	6288 HB	6788 ⊥		
❾	6739 ⊥	6039	6089 130・HB △	6139	6189 130・HB △	6239	6289 HB	6789 ⊥		
❿	6740 ⊥	6040	6090 130・HB △	6140	6190 130・HB △	6240	6290 HB	6790 ⊥		
⓫	6741 ⊥	6041	6091 130・HB △	6141	6191 130・HB △	6241	6291 HB	6791 ⊥		
⓬	6742 ⊥	6042	6092 130・HS △	6142	6192 130・HS △	6242	6292 HS	6792 ⊥		
⓭	6743 ⊥	6043	6093 130・HS △	6143	6193 130・HS △	6243	6293 HS	6793 ⊥		
⓮	6744 ⊥	6044	6094 130・HS △	6144	6194 130・HS △	6244	6294 HS	6794 ⊥		
									6437 C1000	6887 △ 130 ⊥

□□□：分散式冷房車
□：集中式冷房車
★：軌条塗油器
△：100V蓄電池
▭：5扉車

7A：7kVA 60Hz MG
75：75kVA 60Hz MG
130：130kVA 60Hz MG
130：130kVA 60Hz BL-MG
110：110kVA 60Hz SIV
HB：電動空気圧縮機(HB-2000)
HS：電動空気圧縮機(HS-20D)
C1000：電動空気圧縮機(C-1000)

⊃⊂：密着連結器(HT形)
▲：自動連解装置＋密連
┓┏：誘導無線送信アンテナ
⊥：ATC装置

Mc	M	Tc	T	合計
25	174	95	10	304

京王線初のステンレスカー・7000系と並ぶ6000系6712・6735。京王ロゴや車番プレートの書体は変更されているが、車体塗色は変更前のままである。
2001.11　高幡不動
P：太田　泉

3．衰退期

■6000系30番代追加改造

都営新宿線の10両編成増加に伴う2両編成の追加改造が、1993～1996（平成5～8）年にかけて3本行われた（図10・編成表11）。トップを切って改造された6420Fの存在期間は4年余りで、その姿を残している方は貴重な記録となっているのではないだろうか。

さらに驚いたのはこの後の改造である。2001～2003（平成13～15）年にかけ二次車の6031～6033Fの廃車と入れ替わる形で、1983（昭和58）年度入線の6018・6019Fと、1981（昭和56）年入線の6016Fが追加改造されたのだ（編成表12）。当時すでに9000系も増備されており、「なぜ」と疑問に思ったものである。ちなみに改造後の車番は元番号＋30とされたため、途中に空き番が生じており、あくまでつなぎの改造なのかなぁ、などこちらも不思議に思えたものである。

■優等列車から順次引退・廃車も始まる

1992（平成4）年には8000系が登場、同時に京王相模原線での特急運転が開始されたこともあり、しばらくは優等列車運用がメインであった。シーズンダイヤ時の分割特急が8000系に置き換わり、そこで余剰となった分割編成はなんと、1992年秋のシーズンダイヤから新設された2＋3＋5の「高尾山口・多摩動物公園行」分割急行（分割後は各々5両編成で運転）に運用される。この急行運用は、併結列車以外は8両で運転されたため、併結運転される折り返し前の上り列車で5＋3編成の前に2両を増結、併結終了列車の折返し列車で後部2両を解放、併結中は配線の都合上新宿行には2番線→八王子方本線引上げ→5番線という、営業したままの転線を行っており、土休日の高幡不動駅は特急・急行の分割併合作業で大忙しであった。

しかしながらその後8000系が増備され、分割急行運用は1995（平成7）年春から8000系に置換え、その後7000系にも10両編成ができ、いつのまにか「各駅停車専用」の呪縛も解けてしまった。そのため6000系は、増結用2両編成と5扉車5両編成を併結した7両編成が登場するなどローカル運用に転身、さらには競馬場線などの支線には6000系の2両編成もあてがわれるようになる。

そしてついには、1997（平成9）年度から抵抗制御車を中心とする廃車が始まった（表3）。普通列車が中心とはいえ、当時の運用は普通列車が優等列車に変わるものもあり、最後の運用が特急という引退の花道を飾る車両もあったのが「時代は変わったなぁ」と思ったものだった。

【図10】6000系30番代追加改造編成

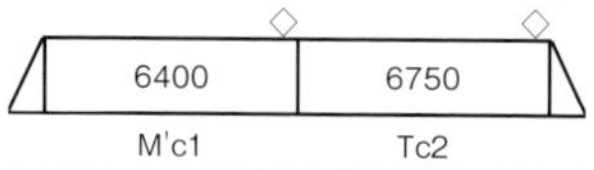

車号		改造年
6420 ↓ 6438	6870 ↓ 6888	1993年度
6419 ↓ 6439	6869 ↓ 6889	1995年度
6418 ↓ 6440	6868 ↓ 6890	1996年度

■まだ続いた改造

「今年度中には省エネ車100％」と公言した1998（平成10）年、抵抗制御車の残りは6003・6005・6006Fの3本で、これでこの8両編成3本の命脈もここまでか…と趣味界の人たちは誰もが思ったであろうが、ところがどっこい、とんでもない改造を行って公約は守りつつその一部が残ったのだ(図11)。

そういえば同年度の8000系増備は２本で、そのままだと１編成減となってしまう。そこでひねり出されたのが８両編成増結側の相棒、３両編成の界磁チョッパ制御車たちである。その編成には黎明期存在した6553なる番号が入っていたり、京王八王子方6456のパンタが撤去され2000系の末期を思い出されるいで立ちになったりと、ちょっと寂しい思いを持ったものである(編成表11)。この編成は2000(平成12)年度には廃車になったので、9000系登場までのつなぎだと割り切っていたのだろう。

その翌年1999(平成11)年度には、さらに大掛かりな改造があった。6000系５扉車のうち、6023・6024Fがなんと４扉に改造されたのだ。それも外板を有効活用したのか、側窓の大きさが微妙に違うなど、なんとも滑稽な車両となった。こちらは５両編成のまま残り、本線系統で使用されたが、残りの6021・6022Fは５扉のまま編成組成だけ組替え、６＋４に。６両側にはM' 車が２両並ぶなど、こちらも製造後10年程度にしてもはや末期を思わせる扱いが残念だった(図12)。同時期に6416・6417Fがワンマン化改造を受け、ここに6021Fの相模原線専用、6022Fの動物園線専用(TAMA ZOO TRAINラッピングとワンマン改造も施工)、そして6416・6417Fは競馬場線専用と、6000系支線専用車ネットワークが完成した。

【表3】1997年度廃車編成

編成	廃車
6004F+6404F	1998年1月
6002F+6401F	1998年2月
6001F+6402F	1998年3月

【図11】1998年度廃車・改造

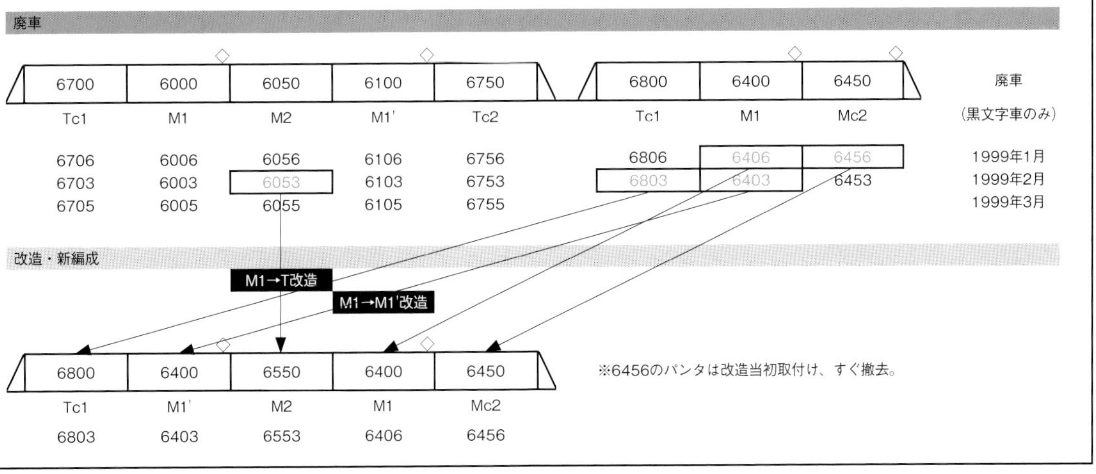

【図12】6000系5扉車組替え・改造

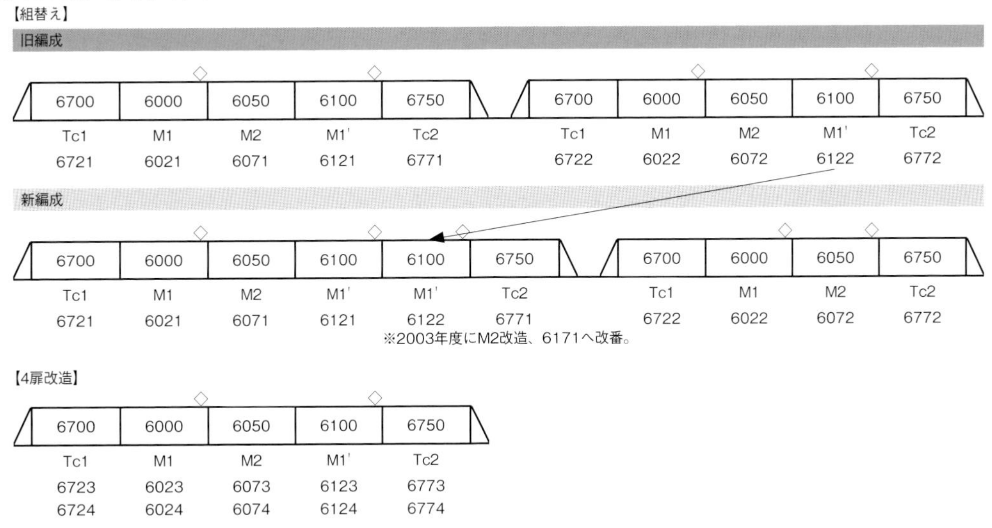

■京王6000系基本編成表⑪

・6000系の廃車が進み264両に

←新宿　　　　　　　　　　　　　　　　　　京王八王子→

編成										
48	6410	6860	6710	6010	6060	6110	6560	6210	6260	6760
	C1000	△130			130・HB△		130・HB△		HB	
49	6411	6861	6711	6011	6061	6111	6561	6211	6261	6761
	C1000	△130			130・HB△		130・HB△		HB	
50	6412	6862	6712	6012	6062	6112	6562	6212	6262	6762
	C1000	△130			130・HB△		130・HB△		HB	
51	6413	6863	6713	6013	6063	6113	6563	6213	6263	6763
	C1000	△130			130・HB△		130・HB△		HB	
52	6414	6864	6714	6014	6064	6114	6564	6214	6264	6764
	C1000	△130			130・HB△		130・HB△		HB	
53	6415	6865	6715	6015	6065	6115	6565	6215	6265	6765
	C1000	△130			130・HB△		130・HB△		HB	
54	6416	6866	6716	6016	6066	6116	6566	6216	6266	6766
	C1000	△130			130・HB△		130・HB△		HB	
55	6417	6867	6717	6017	6067	6117	6567	6217	6267	6767
	C1000	△130	★		130・HB△		130・HB△		HB	
56			6718	6018	6068	6118	6568	6218	6268	6768
					130・HB△		130・HB△		HB	
57			6719	6019	6069	6119	6569	6219	6269	6769
					130・HB△		130・HB△		HB	
58	6721	6021	6071	6121	6771	6707	6007	6057	6107	6757
	HS		110・HS△		110	HB		130・HB△		130
59	6722	6022	6072	6122	6772	6803	6403	6553	6406	6456
	HS		110・HS△		110	HB△		130・HB△		130
60	6723	6023	6073	6123	6773	6805	6405	6455		
	HS		110・HS△		110	HB△		130		
61	6724	6024	6074	6124	6774	6807	6407	6457		
	HS		110・HS△		110	HB△		130		

※58～61の新宿方5両は5扉車

←新宿　乗入れ車　　　　　　　　　　　　　　　　京王八王子→

編成	1	2	3	4	5	6	7	8
62	○□□□ 6731 ⊥■	□◇ 6031	□◇ 6081 130・HB△	□◇ 6131	□ 6181 130・HB△	□◇ 6231	□◇ 6281 HB	□□□○ 6781 ■⊥
63	○□□□ 6732 ⊥■	□◇ 6032	□◇ 6082 130・HB△	□◇ 6132	□ 6182 130・HB△	□◇ 6232	□◇ 6282 HB	□□□○ 6782 ■⊥
64	○□□□ 6733 ⊥■	□◇ 6033	□◇ 6083 130・HB△	□◇ 6133	□ 6183 130・HB△	□◇ 6233	□◇ 6283 HB	□□□○ 6783 ■⊥
65	○□ 6734 ⊥■	□◇ 6034	□◇ 6084 130・HB△	□◇ 6134	□ 6184 130・HB△	□◇ 6234	□◇ 6284 HB	□○ 6784 ■⊥
66	○□ 6735 ⊥■	□◇ 6035	□◇ 6085 130・HB△	□◇ 6135	□ 6185 130・HB△	□◇ 6235	□◇ 6285 HB	□○ 6785 ■⊥
67	○□ 6736 ⊥■	□◇ 6036	□◇ 6086 130・HB△	□◇ 6136	□ 6186 130・HB△	□◇ 6236	□◇ 6286 HB	□○ 6786 ■⊥
68	○□ 6737 ⊥■	□◇ 6037	□◇ 6087 130・HB△	□◇ 6137	□ 6187 130・HB△	□◇ 6237	□◇ 6287 HB	□○ 6787 ■⊥
69	○□ 6738 ⊥■	□◇ 6038	□◇ 6088 130・HB△	□◇ 6138	□ 6188 130・HB△	□◇ 6238	□◇ 6288 HB	□○ 6788 ■⊥
70	○□ 6739 ⊥■	□◇ 6039	□◇ 6089 130・HB△	□◇ 6139	□ 6189 130・HB△	□◇ 6239	□◇ 6289 HB	□○ 6789 ■⊥
71	○□ 6740 ⊥■	□◇ 6040	□◇ 6090 130・HB△	□◇ 6140	□ 6190 130・HB△	□◇ 6240	□◇ 6290 HB	□○ 6790 ■⊥
72	○□ 6741 ⊥■	□◇ 6041	□◇ 6091 130・HB△	□◇ 6141	□ 6191 130・HB△	□◇ 6241	□◇ 6291 HB	□○ 6791 ■⊥
73	○□ 6742 ⊥■	□◇ 6042	□◇ 6092 130・HS△	□◇ 6142	□ 6192 130・HS△	□◇ 6242	□◇ 6292 HS	□○ 6792 ■⊥
74	○□ 6743 ⊥■	□◇ 6043	□◇ 6093 130・HS△	□◇ 6143	□ 6193 130・HS△	□◇ 6243	□◇ 6293 HS	□○ 6793 ■⊥
75	○□ 6744 ⊥■	□◇ 6044	□◇ 6094 130・HS△	□◇ 6144	□ 6194 130・HS△	□◇ 6244	□◇ 6294 HS	□○ 6794 ■⊥

編成	1	2
62	○□◇ 6431 C1000	□◇○ 6881 △130■⊥
63	○□◇ 6432 C1000	□◇○ 6882 △130■⊥
64	○□◇ 6433 C1000	□◇○ 6883 △130■⊥
65	○□◇ 6434 C1000	□◇○ 6884 △130■⊥
66	○□◇ 6435 C1000	□◇○ 6885 △130■⊥
67	○□◇ 6436 ▲ C1000	□◇○ 6886 △130■⊥ ▲
68	○□◇ 6437 ▲ C1000	□◇○ 6887 △130■⊥ ▲
69	○□◇ 6438 C1000	□◇○ 6888 △130■⊥ ▲
70	○□◇ 6439 C1000	□◇○ 6889 △130■⊥ ▲
71	○□◇ 6440 C1000	□◇○ 6890 △130■⊥ ▲

□□□：分散式冷房車
□：集中式冷房車
★：軌条塗油器
△：100V蓄電池
▲：自動連解装置
▭：5扉車

7A：7kVA 60Hz MG
130：130kVA 60Hz MG
130：130kVA 60Hz BL-MG
110：110kVA 60Hz SIV
HB：電動空気圧縮機(HB-2000)
HS：電動空気圧縮機(HS-20D)
C1000：電動空気圧縮機(C-1000)

⊥：ATC装置
○：SR無線
■：IR無線

Mc	M	Tc	T	合計
21	153	79	11	264

外装リニューアルで新塗色化されたクハ6866+デハ6416。地上用２両編成車は6416Fと6417Fがワンマン化対応改造され、その機動性を生かして支線区でも活躍した。
2005.8　東府中　P：太田　泉

■**本格的な廃車が始まる**

世紀末の2000（平成12）年度、京王線に9000系２本が登場、その代替として1998（平成10）年度に登場した変則５両編成と３両編成、そして二次車の6011Fが廃車となった（図14）。以後9000系増備とともに6000系が置換えられるようになり、2003年の外装リニューアル（臙脂帯→２本帯化）こそ行ったものの、その数を次第に減らしていった（表４）。

■**事業用車に改造**

2004（平成16）年、5000系改造の事業用車に代わり改造されたのが、6000系の５＋３編成6007Fである。その当時京王線はすでに電気指令式ブレーキに統一されており、5000系改造車を運転できる人が減ったということで、代替にちょうど先頭車やM' 車の廃車が出るタイミングで改造したようだ（図15）。

6000系の５扉車、デハ6022の室内。
2011.2　高幡不動　P：太田　泉

【表4】2001年度以降廃車概要

8両編成						6両編成			6414F	2010年度	
0番代(5+3編成)		備考	6034F	2008年度		20番代		備考	6415F	2010年度	
6007F	2004年	一部はデワに改造	6035F	2008年度		6021F	2007年度		6416F	2010年度	
			6036F	2007年度		5両編成			6417F	2010年度	
10番代		備考	6037F	2006年度		20番代		備考	30番代		備考
6010F	2001年度		6038F	2007年度		6023F	2009年度		6431F	2006年度	
6012F	2001年度		6039F	2007年度		6024F	2009年度		6432F	2009年度	
6013F	2009年度		6040F	2009年度		4両編成			6433F	2008年度	
6014F	2009年度		6041F	2009年度		20番代		備考	6434F	2008年度	
6015F	2009年度		6042F	2009年度		6022F	2010年度	最後の編成	6435F	2008年度	
6017F	2010年度		6043F	2008年度		2両編成			6436F	2008年度	
30番代		備考	6044F	2008年度		0番代		備考	6437F	2008年度	
6031F	2001年度		6046F	2006年度		6410F	2010年度		6438F	2009年度	デハはレールランド保存
6032F	2002年度		6048F	2008年度		6411F	2010年度				
6033F	2003年度		6049F	2008年度		6412F	2010年度		6439F	2008年度	
						6413F	2010年度		6440F	2009年度	

【図13】2000年度廃車

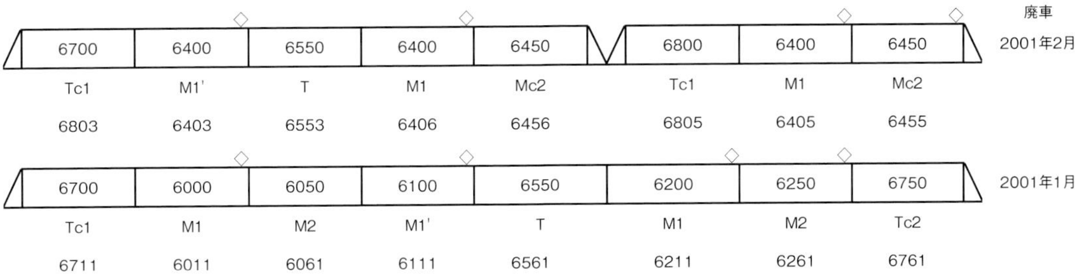

【図14】2001年～ 30番代8両固定編成改造

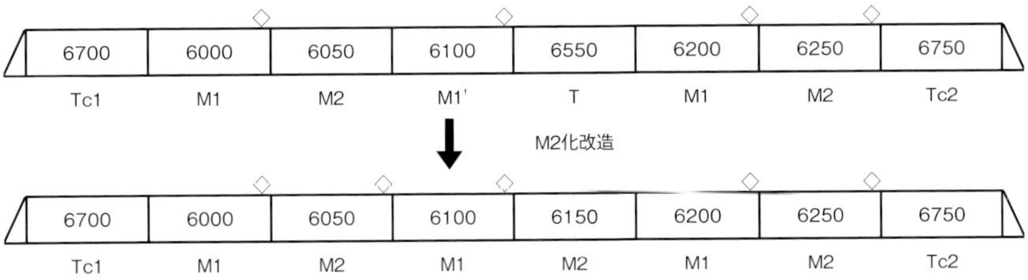

車号								改造年	備考
6719	6019	6069	6119	6569	6219	6269	6769	2001年度	
			↓						
6749	6049	6099	6149	6199	6249	6299	6799		
6718	6018	6068	6118	6568	6218	6268	6768	2002年度	
			↓						
6748	6048	6098	6148	6198	6248	6298	6798		
6716	6016	6066	6116	6566	6216	6266	6766	2003年度	
			↓						
6746	6046	6096	6146	6196	6246	6296	6796		

【図15】デワ改造

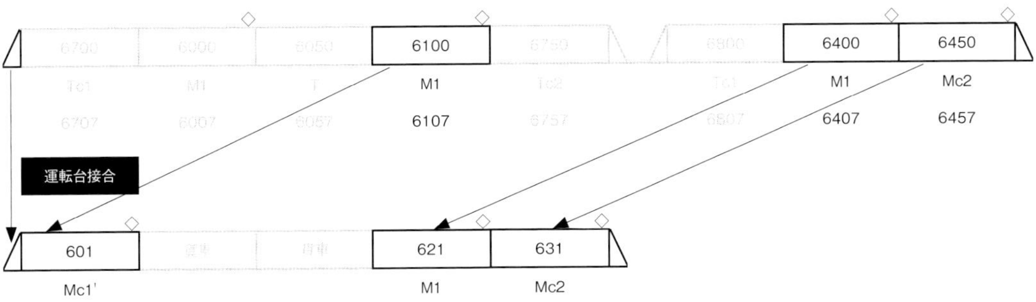

■京王6000系基本編成表⑫

・9000系デビュー、6000系18両廃車で残り200両に
・デワ600形登場

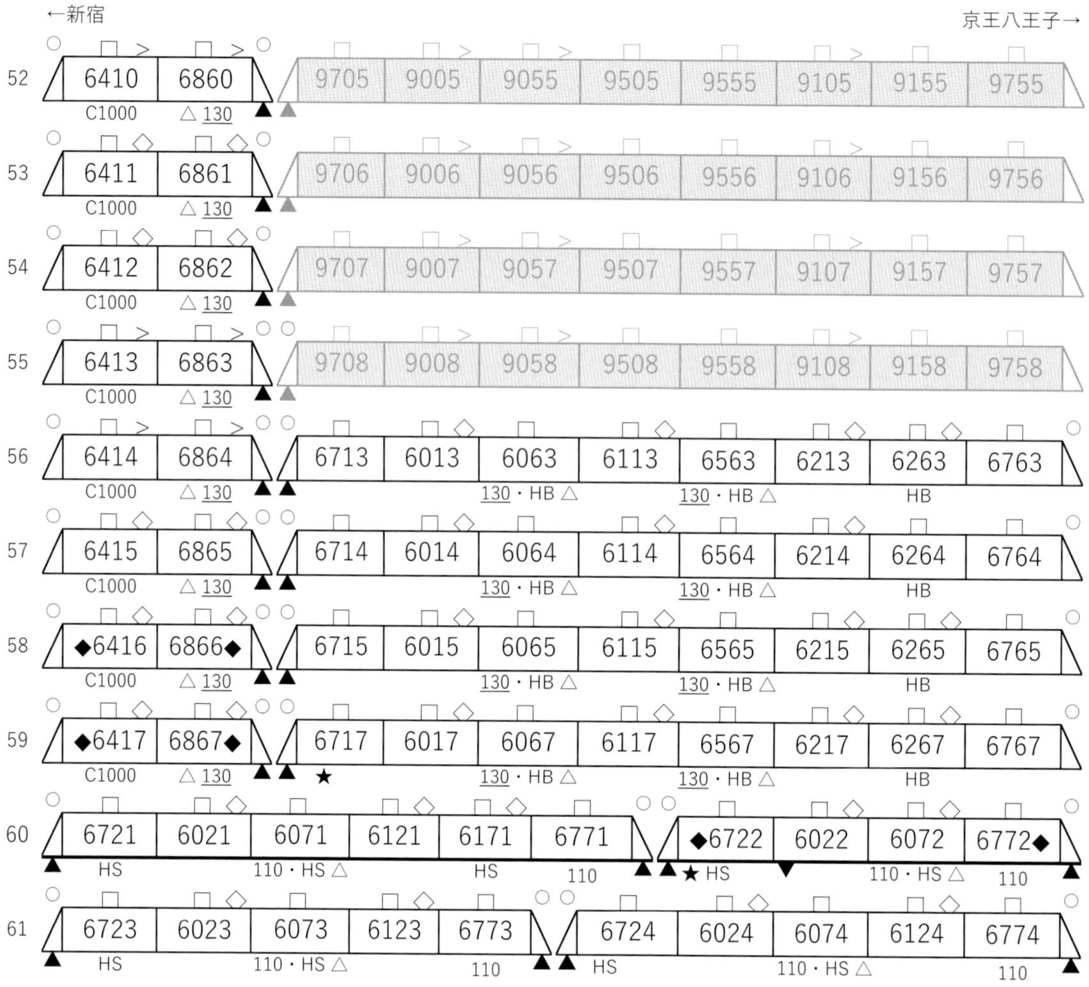

事業用車

Mc	M	Tc	T	合計
18	116	62	4	200

※事業用車を除く

□：集中式冷房車
★：軌条塗油器
◆：ワンマン対応
△：100V蓄電池
▲：自動連解装置

130：130kVA 60Hz BL-MG
110：110kVA 60Hz SIV
HB：電動空気圧縮機（HB-2000）
HS：電動空気圧縮機（HS-20D）
C1000：電動空気圧縮機（C-1000）

○：SR無線
■：IR無線
⊥：ATC装置
▼：増粘着装置
□：5扉車

←新宿　　　　　　　　　　　　　　　　　　　　　　　　　　　　京王八王子→

編成											
	○ □	□ >	□	□ >	□	□ >	□ >	□ ○		○ □ ◇	□ ◇ ○
62	6734	6034	6084	6134	6184	6234	6284	6784		6431	6881
	⊥■		130・HB △		130・HB △		HB	■⊥		C1000	△ 130 ■⊥
	○ □	□ ◇	□	□ ◇	□	□ ◇	□ ◇	□ ○		○ □ ◇	□ ◇ ○
63	6735	6035	6085	6135	6185	6235	6285	6785		6432	6882
	⊥■		130・HB △		130・HB △		HB	■⊥		C1000	△ 130 ■⊥
	○ □	□ ◇	□	□ ◇	□	□ ◇	□ ◇	□ ○		○ □ ◇	□ ◇ ○
64	6736	6036	6086	6136	6186	6236	6286	6786		6433	6883
	⊥■		130・HB △		130・HB △		HB	■⊥		C1000	△ 130 ■⊥
	○ □	□ ◇	□	□ ◇	□	□ ◇	□ ◇	□ ○		○ □ ◇	□ ◇ ○
65	6737	6037	6087	6137	6187	6237	6287	6787		6434	6884
	⊥■		130・HB △		130・HB △		HB	■⊥		C1000	△ 130 ■⊥
	○ □	□ ◇	□	□ ◇	□	□ ◇	□ ◇	□ ○		○ □ ◇	□ ◇ ○
66	6738	6038	6088	6138	6188	6238	6288	6788		6435	6885
	⊥■		130・HB △		130・HB △		HB	■⊥		C1000	△ 130 ■⊥
	○ □	□ ◇	□	□ ◇	□	□ ◇	□ ◇	□ ○		○ □ ◇	□ ◇ ○
67	6739	6039	6089	6139	6189	6239	6289	6789		6436	6886
	⊥■		130・HB △		130・HB △		HB	■⊥		▲ C1000	△ 130 ■⊥ ▲
	○ □	□ ◇	□	□ ◇	□	□ ◇	□ ◇	□ ○		○ □ ◇	□ ◇ ○
68	6740	6040	6090	6140	6190	6240	6290	6790		6437	6887
	⊥■		130・HB △		130・HB △		HB	■⊥		▲ C1000	△ 130 ■⊥ ▲
	○ □	□ ◇	□	□ ◇	□	□ ◇	□ ◇	□ ○		○ □ ◇	□ ◇ ○
69	6741	6041	6091	6141	6191	6241	6291	6791		6438	6888
	⊥■		130・HB △		130・HB △		HB	■⊥		C1000	△ 130 ■⊥ ▲
	○ □	□ ◇	□	□ ◇	□	□ ◇	□ ◇	□ ○		○ □ ◇	□ ◇ ○
70	6742	6042	6092	6142	6192	6242	6292	6792		6439	6889
	⊥■		130・HS △		130・HS △		HS	■⊥		C1000	△ 130 ■⊥ ▲
	○ □	□ ◇	□	□ ◇	□	□ ◇	□ ◇	□ ○		○ □ ◇	□ ◇ ○
71	6743	6043	6093	6143	6193	6243	6293	6793		6440	6890
	⊥■		130・HS △		130・HS △		HS	■⊥		C1000	△ 130 ■⊥ ▲
	○ □	□ >	□	□ >	□	□ >	□ >	□ ○			
72	6744	6044	6094	6144	6194	6244	6294	6794			
	⊥■		130・HS △		130・HS △		HS	■⊥			
	○ □	□ ◇	□	□ ◇	□	□ ◇	□ ◇	□ ○			
73	6746	6046	6096	6146	6196	6246	6296	6796			
	▲ ⊥■		130・HB △		130・HB △		HB	■⊥			
	○ □	□ >	□	□ >	□	□ >	□ >	□ ○			
74	6748	6048	6098	6148	6198	6248	6298	6798			
	▲ ⊥■		130・HB △		130・HB △		HB	■⊥			
	○ □	□ ◇	□	□ ◇	□	□ ◇	□ ◇	□ ○			
75	6749	6049	6099	6149	6199	6249	6299	6799			
	▲ ⊥■		130・HB △		130・HB △		HB	■⊥			

４両編成を組み、ワンマン化対応改造も施されて動物園線用となった５扉車6022F。動物の絵画が側面にラッピングされていた。
2008.3　高幡不動　P：太田　泉

５扉車を改造し４扉車となった6023F。本来の４扉車に比べ窓配置が変則的である。新塗装・新ロゴマークにリニューアルされた直後の頃。
2003.5　明大前　P：太田　泉

9000系８両編成と連結して走る6416F。6416Fは引退を控え、6000系竣工当時のアイボリーに赤帯(正面カーブあり)の塗装が再現された。
2009.11　分倍河原　P：太田　泉

6000系を改造した事業用車デワ600形。ステンレス製の軌道架線総合検測車クヤ900形を連結した編成。　2009.8　調布　P：太田　泉

4．終焉

■全車廃車まで

都営新宿線のデジタルATC化に伴い、VVVF搭載車両が入線可能となったことから、2005(平成17)年度増備車より9000系9030番代が登場、ここから一気に地下鉄乗入れ車の6000系から9000系への置換えが加速した。6000系30番代編成については、2009(平成21)年を最後に置換えが完了し乗入れ運用から撤退、0番代も同時に置換えが進んでいった。そのうち2両編成は支線に使いやすいことと9000系との併結が可能なこともあり、8両編成の廃車が先行とされた。

ちなみに京王では、廃車を前に6416F最後の定期検査入場時に、登場当時の塗り分けを再現するサービスをしてくれた。その姿を撮影したファンも多いのではないだろうか。幌座がないとか、急行幕が黒字に橙色ではないなどの違いはあるものの、粋なサービスをしてくれたことにファンの一人として感謝している。

6000系の終焉は2011(平成23)年3月13日。動物園線で使用されていた5扉車、6022Fの廃車回送であった。この時、京王全線ATC化を前に京王相模原線はすで

■京王6000系基本編成表⑬

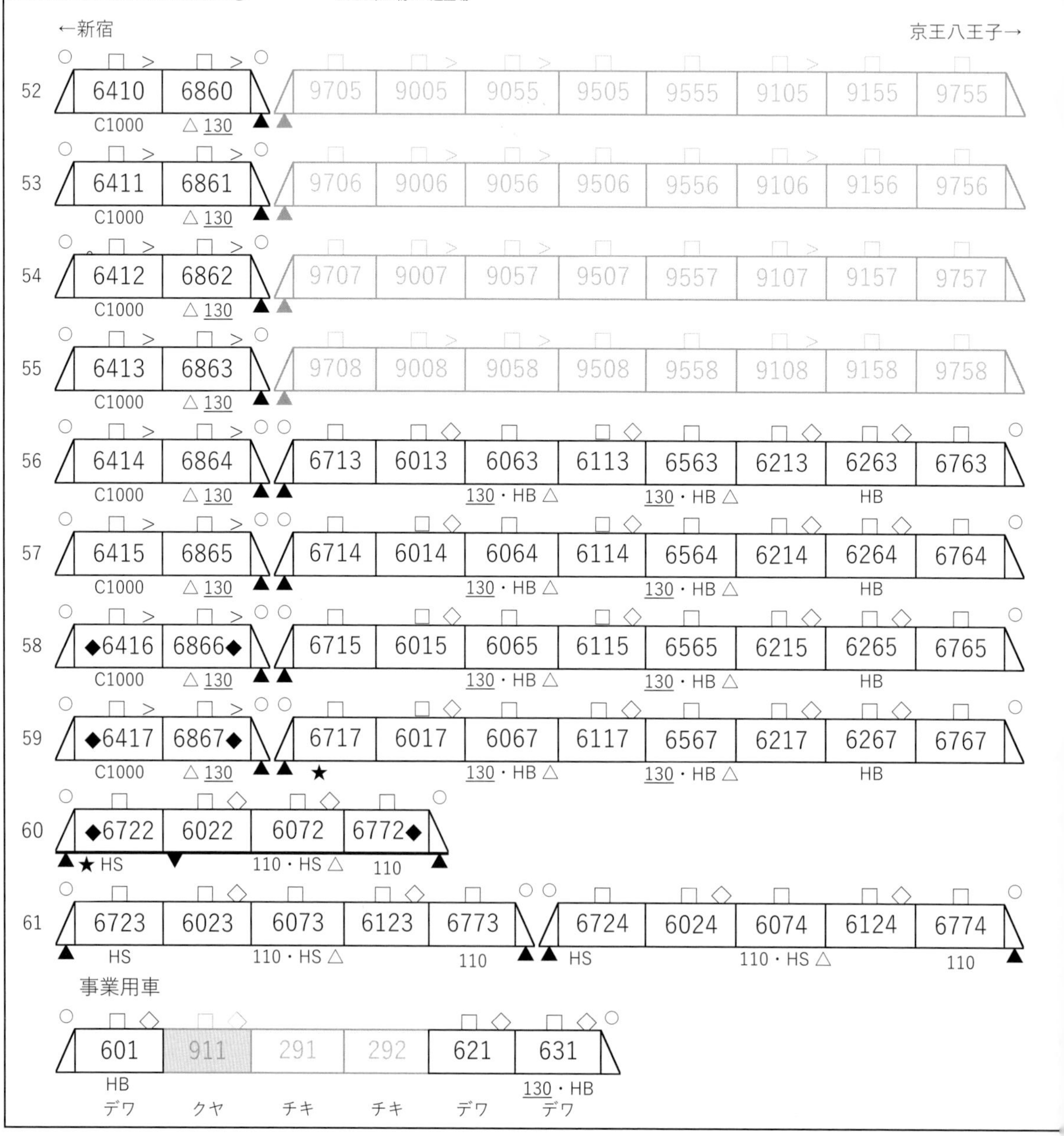

にATC化されており、同線の先頭に立つことはできなかったので、若葉台への自力廃車回送時にはATCが搭載されていた事業用車デワを橋本方に併結、その姿が京王線上での最後の姿となった(次頁写真)。お供をした旧6000系のデワも2016(平成28)年に後進のデワ900に役目を譲り、ここに6000系シリーズは各地の地方私鉄に譲渡された5000系などよりも先に、その生涯を閉じたのである。

竣工当時を再現した塗装で競馬場線の運用に就く２両編成(6866+6416)。
2010.1.4　東府中　P：太田　泉

2008(平20) .3

←新宿　　乗入れ車　　　　　　　　　　　　　　　　京王八王子→

編成										
	○ □	□ >	□	□ >	□	□ >	□ >	□ ○	○ □ ◇	□ ◇ ○
70	6734	6034	6084	6134	6184	6234	6284	6784	6434	6884
	■		130・HB △		130・HB △		HB		C1000	△ 130 ■
	○ □	□ >	□	□ >	□	□ >	□ >	□ ○	○ □ ◇	□ ◇ ○
71	6735	6035	6085	6135	6185	6235	6285	6785	6435	6885
	■		130・HB △		130・HB △		HB		C1000	△ 130 ■
	○ □	□ ◇	□	□ ◇	□	□ ◇	□ ◇	□ ○	○ □ ◇	□ ◇ ○
72	6740	6040	6090	6140	6190	6240	6290	6790	6432	6882
	■		130・HB △		130・HB △		HB		C1000	△ 130 ■
	○ □	□ >	□	□ >	□	□ >	□ >	□ ○	○ □ >	□ > ○
73	6741	6041	6091	6141	6191	6241	6291	6791	6440	6890
	■		130・HB △		130・HB △		HB		C1000	△ 130 ■ ▲
	○ □	□ ◇	□	□ ◇	□	□ ◇	□ ◇	□ ○	○ □ >	□ > ○
74	6742	6042	6092	6142	6192	6242	6292	6792	6438	6888
	■		130・HS △		130・HS △		HS		C1000	△ 130 ■ ▲
	○ □	□ >	□	□ >	□	□ >	□ >	□ ○	○ □ ◇	□ ◇ ○
75	6743	6043	6093	6143	6193	6243	6293	6793	6433	6883
	■		130・HS △		130・HS △		HS		C1000	△ 130 ■
	○ □	□ >	□	□ >	□	□ >	□ >	□ ○	○ □ >	□ > ○
76	6744	6044	6094	6144	6194	6244	6294	6794	6436	6886
	■		130・HS △		130・HS △		HS		▲ C1000	△ 130 ■ ▲
	○ □	□ >	□	□ >	□	□ >	□ >	□ ○	○ □ >	□ > ○
77	6748	6048	6098	6148	6198	6248	6298	6798	6439	6889
	▲ ■		130・HB △		130・HB △		HB		C1000	△ 130 ■ ▲
	○ □	□ >	□	□ >	□	□ >	□ >	□ ○	○ □ >	□ > ○
78	6749	6049	6099	6149	6199	6249	6299	6799	6437	6887
	▲ ■		130・HB △		130・HB △		HB		▲ C1000	△ 130 ■ ▲

□：集中式冷房車
★：軌条塗油器
◆：ワンマン対応
△：100V蓄電池
□：5扉車

130：130kVA 60Hz BL-MG
110：110kVA 60Hz SIV
HB：電動空気圧縮機(HB-2000)
HS：電動空気圧縮機(HS-20D)
C1000：電動空気圧縮機(C-1000)

▲：自動連解装置
○：SR無線
■：都ATC装置
▼：増粘着装置

Mc	M	Tc	T	合計
17	82	49	4	152

■京王6000系基本編成表⑭

・6000系が100両以下(92両)に

2009(平21) .3

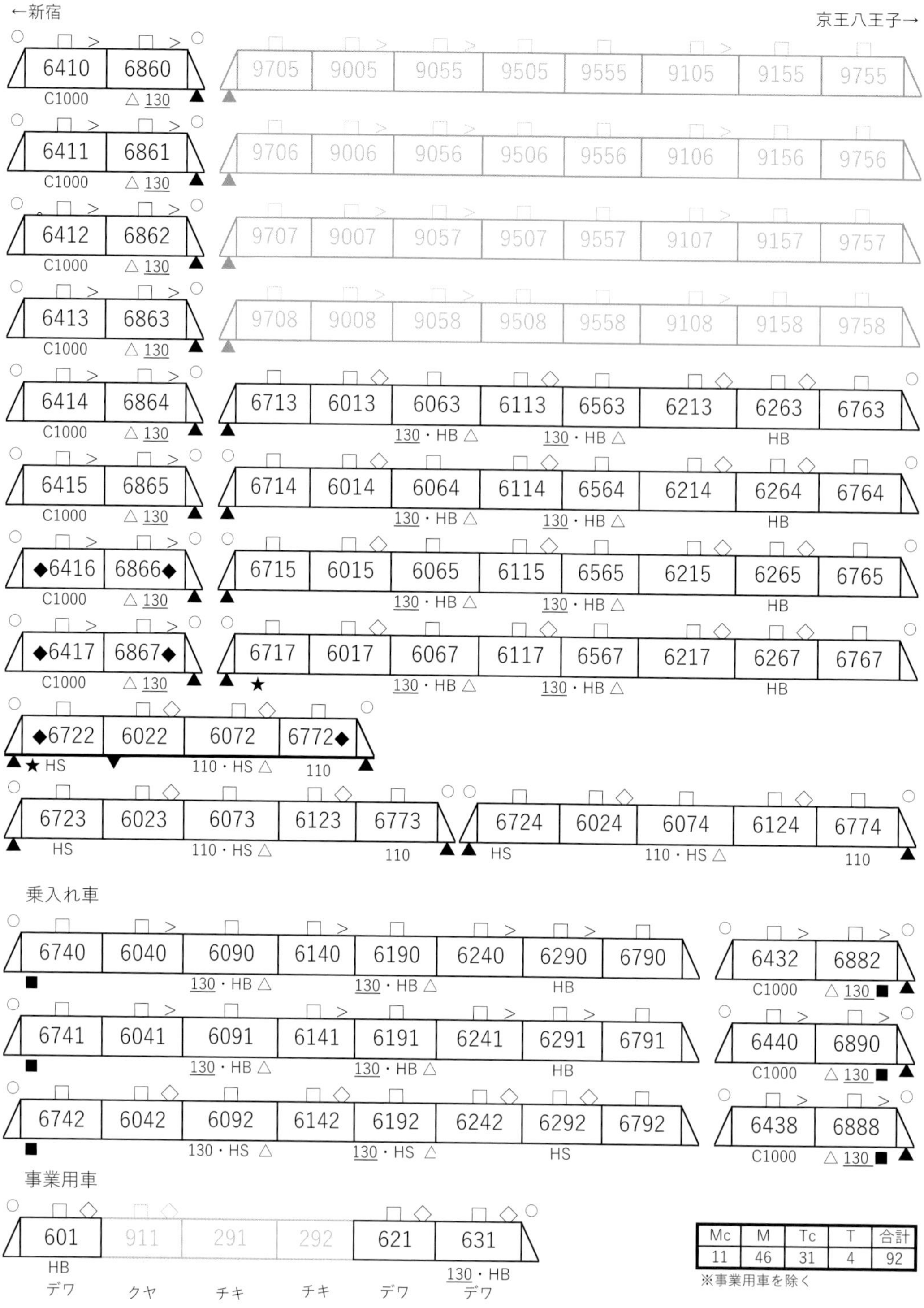

Mc	M	Tc	T	合計
11	46	31	4	92

※事業用車を除く

□：集中式冷房車
★：軌条塗油器
◆：ワンマン対応
□：5扉車

130：130kVA 60Hz BL-MG
110：110kVA 60Hz SIV
HB：電動空気圧縮機(HB-2000)
HS：電動空気圧縮機(HS-20D)
C1000：電動空気圧縮機(C-1000)

△：100V蓄電池
▲：自動連解装置
○：SR無線
■：都ATC装置
▼：増粘着装置

■京王6000系基本編成表⑮　・6000系晩年期、全12両に　2010(平22).11

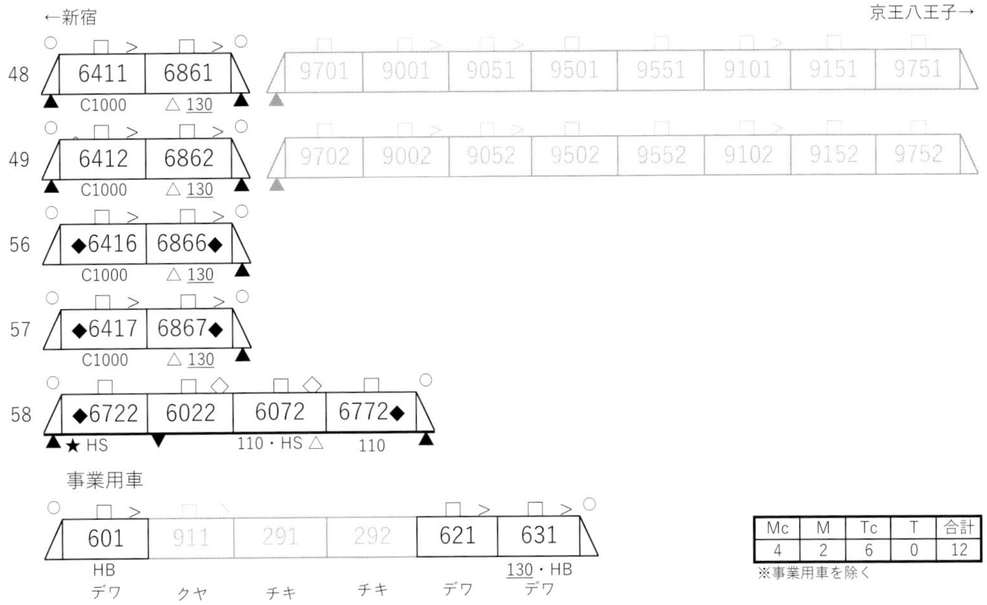

Mc	M	Tc	T	合計
4	2	6	0	12

※事業用車を除く

□：集中式冷房車
★：軌条塗油器
◆：ワンマン対応
▢：5扉車
130：130kVA 60Hz BL-MG
110：110kVA 60Hz SIV
HB：電動空気圧縮機(HB-2000)
HS：電動空気圧縮機(HS-20D)
C1000：電動空気圧縮機(C-1000)
△：100V蓄電池
▲：自動連解装置
○：SR無線
▼：増粘着装置

■地方私鉄譲渡

京王の3000系や初代5000系といえば今でも地方私鉄で活躍しているが、それよりも車齢の新しい6000系はなぜ譲渡されなかったのか。

実際関係者によれば、話がないわけではなかったらしい。2両編成なら大掛かりな改造は不要に思えるが、実際には大型車であること、下降窓で腐食が心配なこと、何よりゲージが特異なためにその改造に手間が掛かることなどネックになることが多く、残念ながら実現しなかったようである。

column3 台車

長きにわたる増備の中で、一貫して変わらなかったのが台車である。先輩格の5000系が短期間のうちに多種多様な台車を履いていたのに比べると正反対で、東急車両製造製の量産台車といわれる、車体直結式空気ばねペデスタル式である(M台車：TS809、T台車：TS810)。同時期に製造された7000系も同タイプながらプレス加工進化系の台車を履いていたのだから、途中で変わってもいいようなものだが、最後まで溶接式のままの増備であった。今や軸梁式ボルスタレス台車が主流であるにも関わらず、静岡鉄道の新型A-3000形は同形式を履いているところを見ると、使い勝手はいいのかもしれない。ちなみに1976(昭和51)年、新車の6456に東急車両製試作シェブロン台車を取り付け半年ほど履かせて試験を行っていたのが、唯一の別形式と言えないこともない。

写真は1973年増備の界磁チョッパ制御を採用した二次車以降が履いていた動力台車TS809A。6000系改造のデワ631のもの。　2018.10.30　P：RM

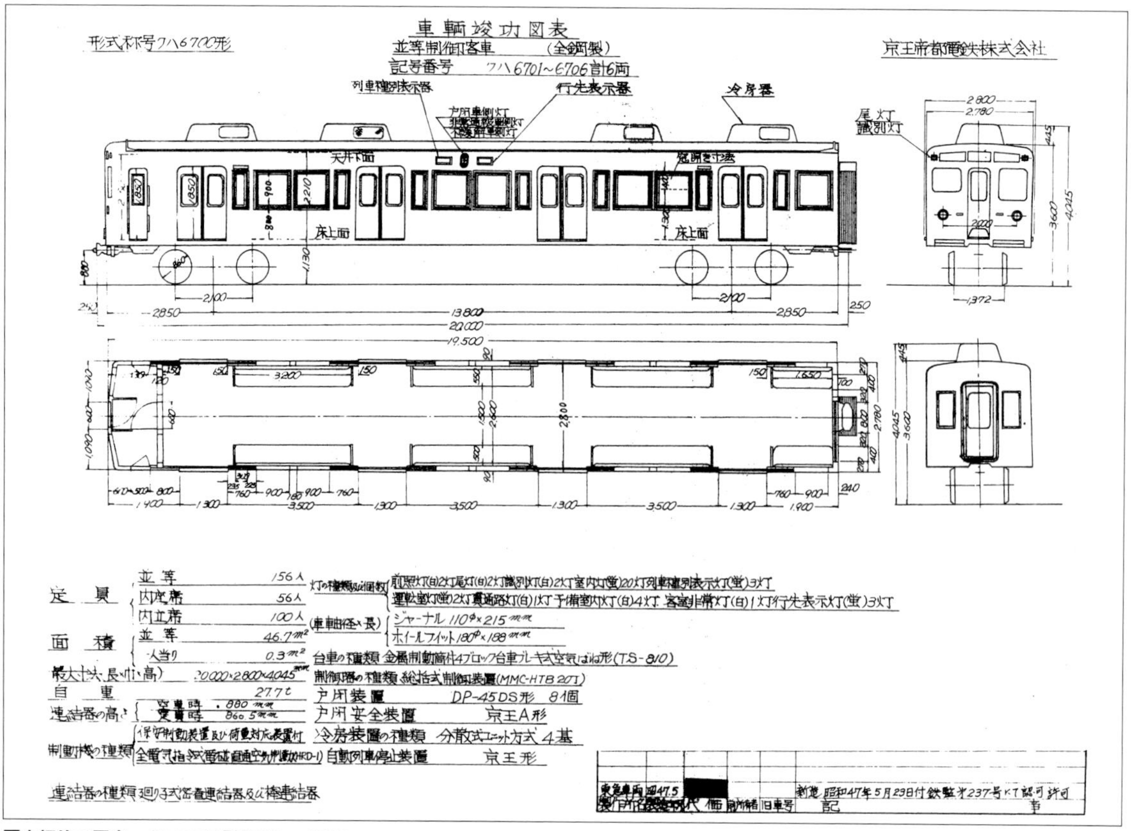

■車輌竣工図表　クハ6700形6701 ～ 6706

提供：京王電鉄

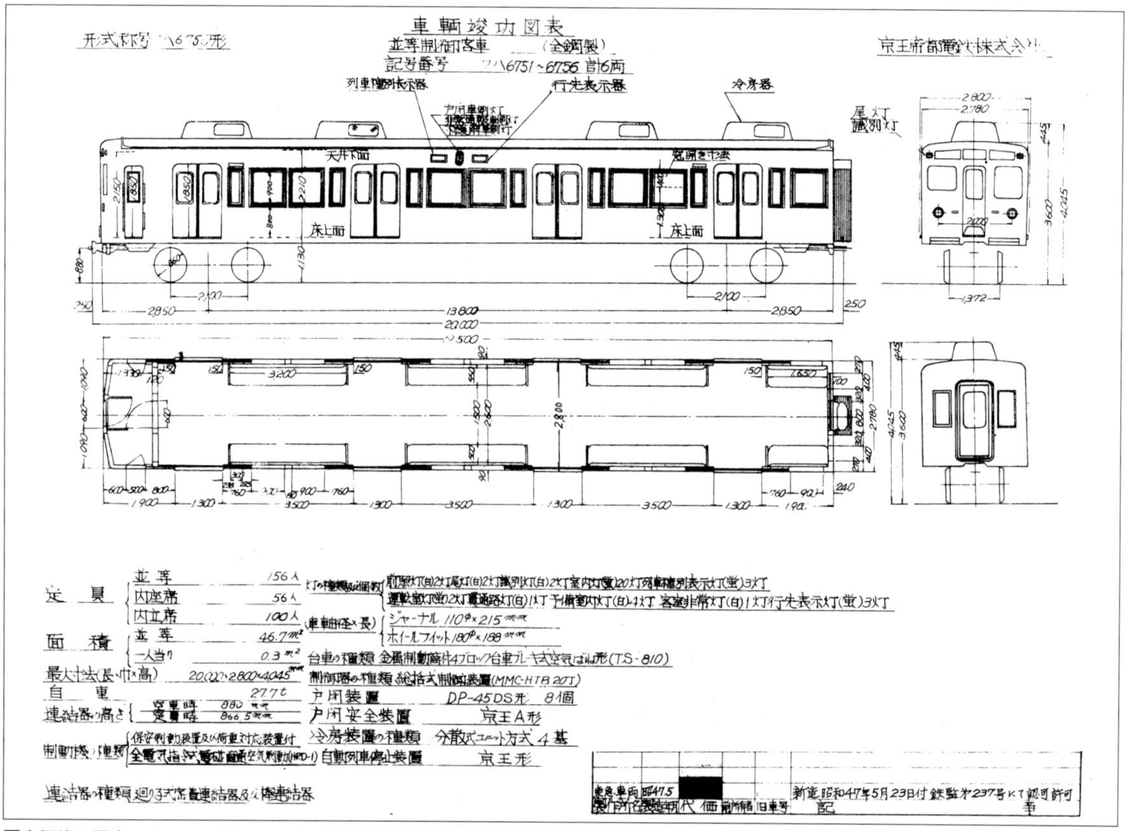

■車輌竣工図表　クハ6750形6751 ～ 6756

提供：京王電鉄

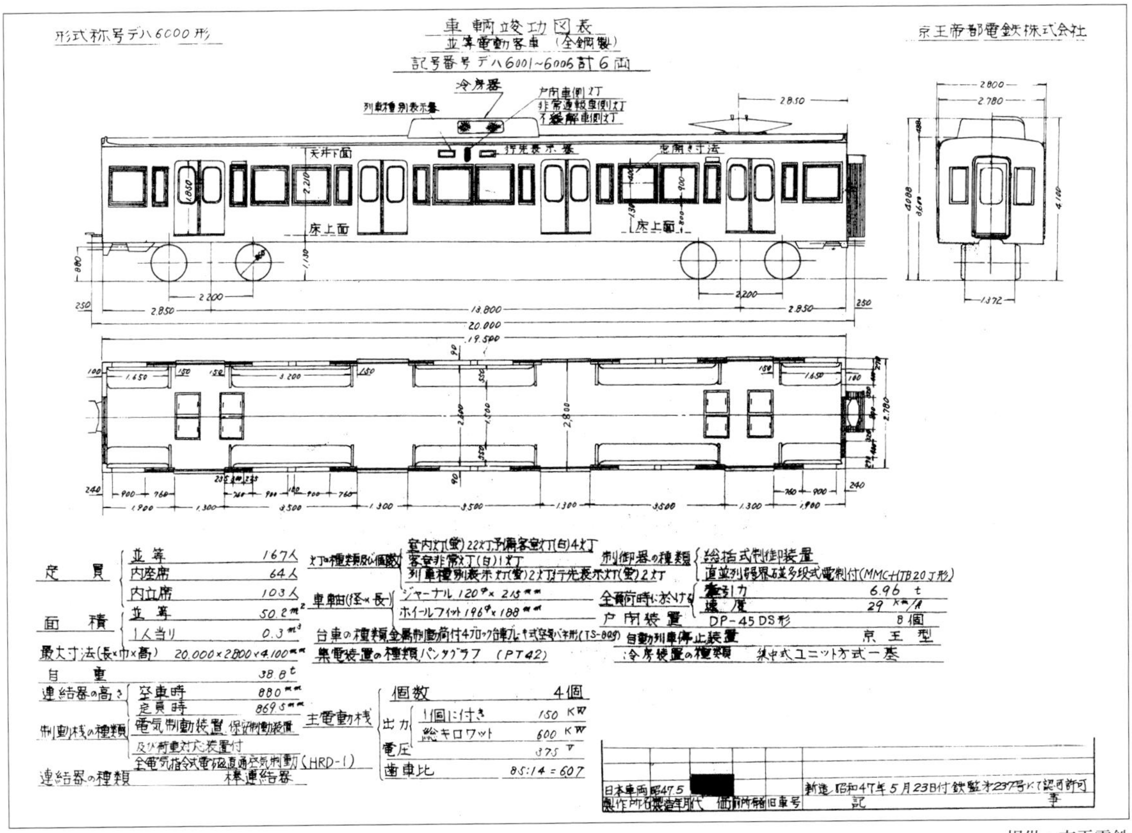

■車輌竣工図表　デハ6000形6001 ～ 6006

提供：京王電鉄

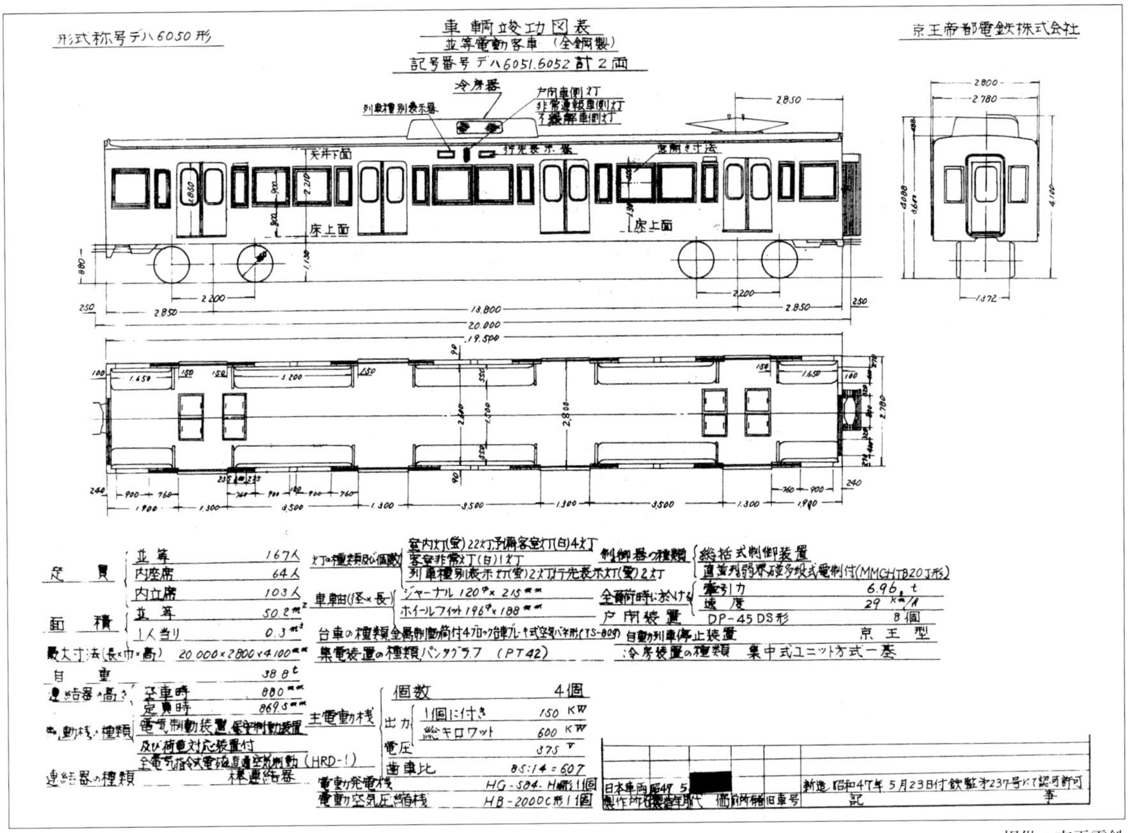

■車輌竣工図表　デハ6050形6051 ～ 6052

提供：京王電鉄

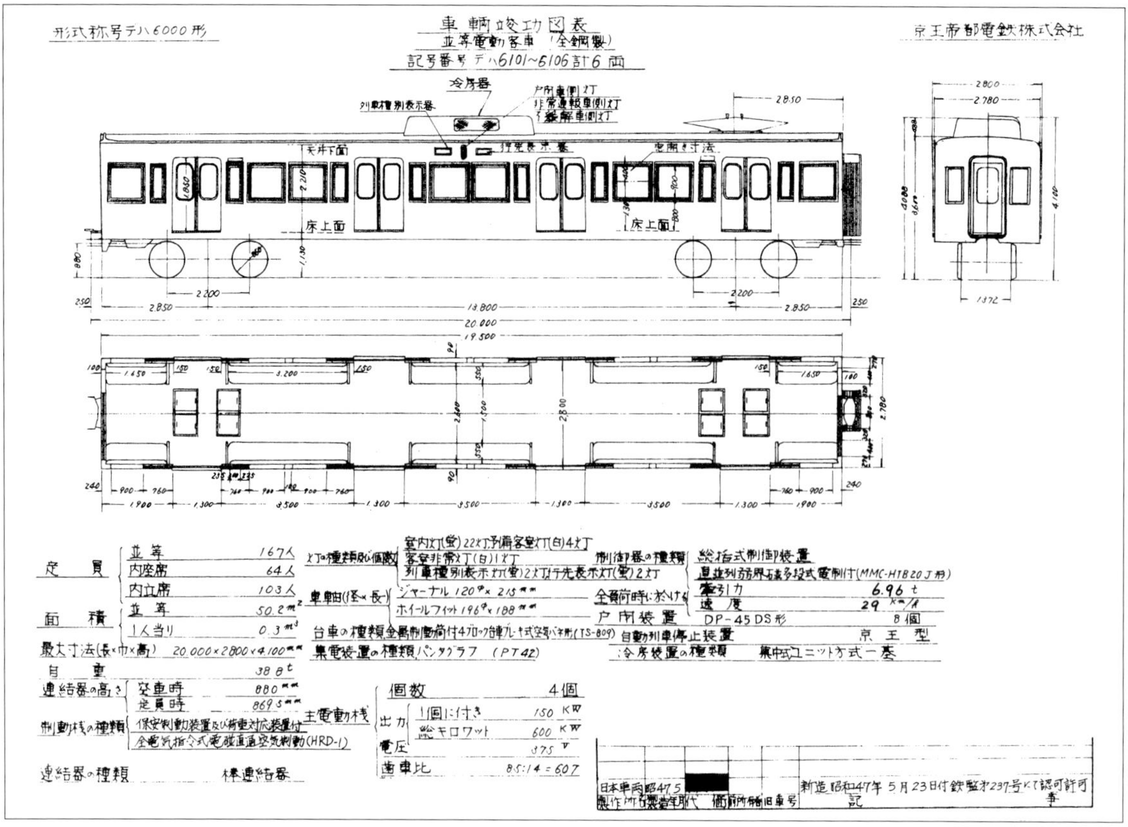

■車輌竣工図表　デハ6000形6101 ～ 6106

提供：京王電鉄

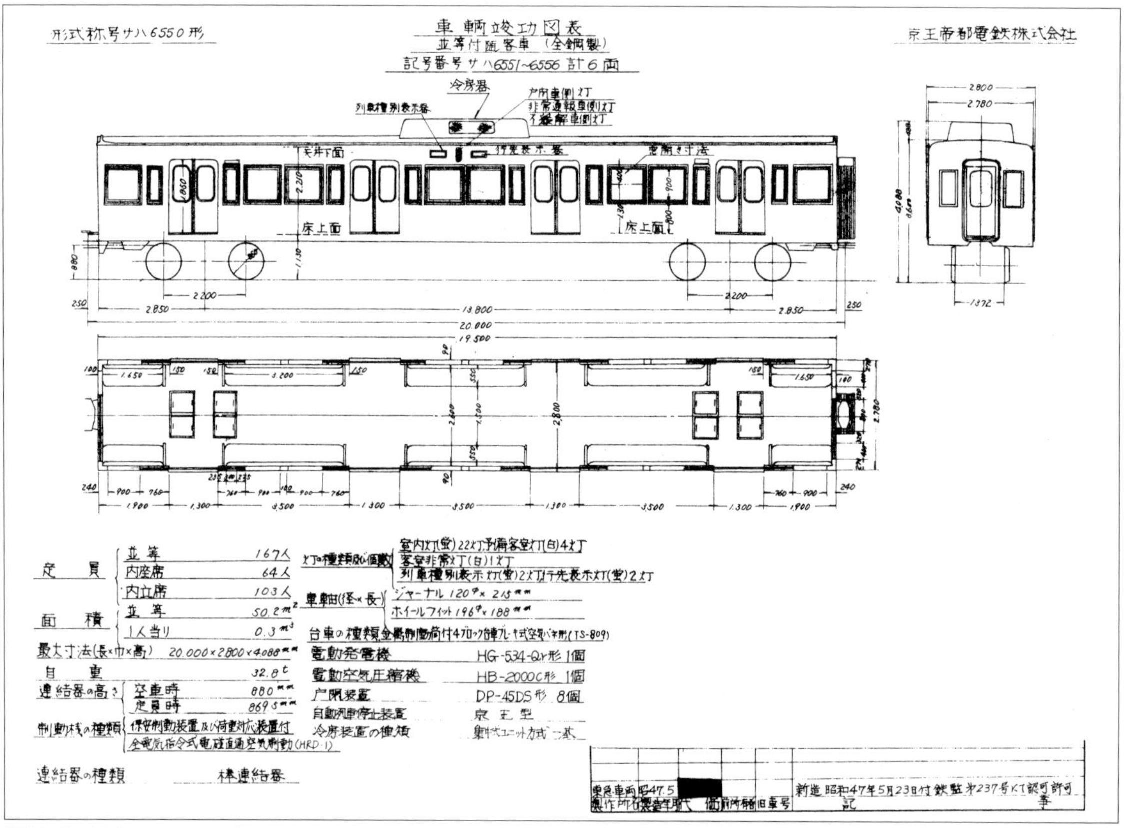

■車輌竣工図表　サハ6550形6551 ～ 6556

提供：京王電鉄

【表5】6000系廃車年

年度	両数	廃車日付	車号
1997年度 (24両廃車)	8両	1月13日	6704　6004　6054　6104　6754　6804　6404　6454
	5両	2月26日	6702　6002　6052　6102　6752
	3両	2月26日	6801　6401　6451
	5両	3月6日	6701　6001　6051　6101　6751
	3両	3月6日	6802　6402　6452
1998年度 (16両廃車)	5両	1月11日	6706　6006　6056　6106　6756
	1両	1月11日	6806
	4両	2月5日	6703　6003　6103　6753
	5両	2月15日	6705　6005　6055　6105　6755
	1両	2月15日	6453
2000年度 (16両廃車)	8両	1月25日	6711　6011　6061　6111　6561　6211　6261　6761
	5両	2月28日	6803　6403　6553　6406　6456
	3両	2月28日	6805　6405　6455
2001年度 (24両廃車)	8両	11月28日	6731　6031　6081　6131　6181　6231　6281　6781
	8両	12月12日	6710　6010　6060　6110　6560　6210　6260　6760
	8両	1月8日	6712　6012　6062　6112　6562　6212　6262　6762
2002年度 (8両廃車)	8両	10月25日	6732　6032　6082　6132　6182　6232　6282　6782
2003年度 (8両廃車)	8両	10月20日	6733　6033　6083　6133　6183　6233　6283　6783
2004年度 (5両廃車)	5両	7月8日	6707　6007　6057　6757　6807 ※貨車改造へ 6107→601、6407→621、6457→631
2006年度 (18両廃車)	8両	2月17日	6737　6037　6087　6137　6187　6237　6287　6787
	10両	3月9日	6746　6046　6096　6146　6196　6246　6296　6796　6431　6881
2007年度 (30両廃車)	6両	6月6日	6721　6021　6071　6121　6171　6771
	8両	2月16日	6738　6038　6088　6138　6188　6238　6288　6788
	8両	3月7日	6736　6036　6086　6136　6186　6236　6286　6786
	8両	3月29日	6739　6039　6089　6139　6189　6239　6289　6789
2008年度 (60両廃車)	10両	4月29日	6743　6043　6093　6143　6193　6243　6293　6793　6433　6883
	10両	5月30日	6735　6035　6085　6135　6185　6235　6285　6785　6435　6885
	10両	7月9日	6734　6034　6084　6134　6184　6234　6284　6784　6434　6884
	10両	8月5日	6748　6048　6098　6148　6198　6248　6298　6798　6439　6889
	10両	10月9日	6744　6044　6094　6144　6194　6244　6294　6794　6436　6886
	10両	11月7日	6749　6049　6099　6149　6199　6249　6299　6799　6437　6887
2009年度 (72両廃車)	10両	4月10日	6740　6040　6090　6140　6190　6240　6290　6790　6432　6882
	10両	5月14日	6741　6041　6091　6141　6191　6241　6291　6791　6440　6890
	10両	6月11日	6742　6042　6092　6142　6192　6242　6292　6792　6438　6888
	8両	7月9日	6713　6013　6063　6113　6563　6213　6263　6763
	8両	8月10日	6714　6014　6064　6114　6564　6214　6264　6764
	10両	9月7日	6723　6023　6073　6123　6773　6724　6024　6074　6124　6774
	8両	1月22日	6715　6015　6065　6115　6565　6215　6265　6765
	2両	3月26日	6410　6860
	2両	3月26日	6413　6863
	2両	3月26日	6414　6864
	2両	3月26日	6415　6865
2010年度 (20両廃車)	8両	8月23日	6717　6017　6067　6117　6567　6217　6267　6767
	2両	2月4日	6411　6861
	2両	2月4日	6412　6862
	2両	2月4日	6416　6866
	2両	2月4日	6417　6867
	4両	3月14日	6722　6022　6072　6772
2016年度 (3両廃車)	3両	4月14日	601　621　631

おわりに

京王電車で1972年５月から2011年２月までの39年間、京王線で主力として活躍してきた6000系について、編成の変遷を中心にまとめてみました。このたび本書を執筆するにあたって、6000系関係の図表をまとめていただいた京王ファンの石井秀典さん、6000系の日常活動する写真をまとめてきた太田泉さん、そして古くからの京王ファンの上野哲司さんなど、皆様方に大変お世話になりました。ここに感謝申し上げます。

鈴木　洋

さよならヘッドマークを掲出して競馬場線で運行された6416F。
2009.4.9　東府中―府中競馬場正門前　P：石井秀典

最後まで残った6000系、５扉車6022Fの廃車回送。
ATCの関係でデワ600形を連結しての運行となった。
2011.3.13　西調布―飛田給　P：石井秀典